MW00773281

PUSHKIN POEMS

A RUSSIAN DUAL LANGUAGE BOOK

ALEXANDER PUSHKIN

SERGEI SHATSKIY *(translator)*

SEAN HARRISON *(producer)*

Maestro Publishing Group

©Copyright, 2017, by Maestro Publishing Group
All rights reserved.

No part of this book may be reproduced or transmitted in any form or by any means, electronic or mechanical, including photocopying, recording or by any information storage and retrieval system, without permission in writing of the copyright owner.

ISBN-10:1-61949-561-9
ISBN-13:978-1-61949-561-6

Туча

Над изнурённою от зноя стороною
Большая Туча пронеслась;
Ни каплею её не освежа одною,
Она большим дождём над морем пролилась
И щедростью своей хвалилась пред Горою.
"Что сделала добра
Ты щедростью такою?"
Сказала ей Гора:
"И как смотреть на то не больно!
Когда бы на поля свой дождь ты пролила,
Ты б область целую от голоду спасла:
А в море без тебя, мой друг, воды довольно".

\<1815\>

Storm-cloud

Over the exhausted from the heat side
A big storm-cloud has carried;
Not by drop her not refreshing one,
She with a big rain over the sea has spilt
And with generosity of hers was boasting before the Mountain.
"What have done good
You by generosity such?"
Told her the Mountain,
"And how to look at that /is/ not painful!
When would on fields your rain you have spilt,
You would a region whole from famine have saved:
And in the sea without you, my friend, /is/ of water enough."

<1815>

Месяц

Зачем из облака выходишь,
Уединенная луна,
И на подушки, сквозь окна,
Сиянье тусклое наводишь?
Явленьем пасмурным своим
Ты будишь грустные мечтанья,
Любви напрасные страданья
И строгим разумом моим
Чуть усыплённые желанья.
Летите прочь, воспоминанья!
Засни, несчастная любовь!
Уж не бывать той ночи вновь,
Когда спокойное сиянье
Твоих таинственных лучей
Сквозь тёмный завес проницало
И бледно, бледно озаряло
Красу любовницы моей.
Почто, минуты, вы летели
Тогда столь быстрой чередой?
И тени лёгкие редели
Пред неожиданной зарёй?
Зачем ты, месяц, укатился
И в небе светлом утонул?
Зачем луч утренний блеснул?
Зачем я с милою простился?

1816

Moon

What for from the cloud are you coming out,
Solitary moon,
And on the cushions, through the windows,
Glow dull are pointing?
By the appearance gloomy of yours
You are awakening sad dreams,
Of love vain sufferings
And by the strict mind of mine
A bit lulled desires.
Fly away, reminiscences!
Fall asleep, unhappy love!
Already not to be that night again,
When the calm glow
Of your mysterious beams
Through the dark veil penetrated
And faintly, faintly illuminated
The beauty of the mistress of mine
What for, minutes, you were flying
Then in such a fast sequence?
And shadows light were thinning
Before the unexpected dawn?
What for you, the moon, have rolled away
And in the sky light have sunk?
What for the beam morning has flashed?
What for I with the sweetheart have said farewell?

1816

Осеннее утро

Поднялся шум; свирелью полевой
Оглашено моё уединенье,
И с образом любовницы драгой
Последнее слетело сновиденье.
С небес уже скатилась ночи тень.
Взошла заря, блистает бледный день —
А вкруг меня глухое запустенье…
Уж нет её… я был у берегов,
Где милая ходила в вечер ясный;
На берегу, на зелени лугов
Я не нашёл чуть видимых следов,
Оставленных ногой её прекрасной.
Задумчиво бродя в глуши лесов,
Произносил я имя несравненной;
Я звал её — и глас уединенный
Пустых долин позвал её в дали.
К ручью пришёл, мечтами привлечённый;
Его струи медлительно текли,
Не трепетал в них образ незабвенный.
Уж нет её!.. До сладостной весны
Простился я с блаженством и с душою.
Уж осени холодною рукою
Главы берёз и лип обнажены,
Она шумит в дубравах опустелых;
Там день и ночь кружится жёлтый лист,
Стоит туман на волнах охладелых,
И слышится мгновенный ветра свист.
Поля, холмы, знакомые дубравы!
Хранители священной тишины!

Autumn morning

Rose the noise; by a pipe field

/Is/ resounded my solitude

And with the image of a mistress dear

The final has flown away dream.

From heavens already has rolled off the night's shade.

Has risen the dawn, is shining a pale day –

And around me /is/ godforsaken desolation…

Already /there is/ no her… I was at the shores,

Where sweetheart had been going in the evening clear;

On the shore, on the green of the meadows

I did not found a bit visible tracks,

Left by the foot of hers beautiful.

Pensively wandering in the depth of the woods,

Was pronouncing I the name of the incomparable;

I was calling her – and the voice solitary

Of the empty valleys called her in the distance.

To the brook came, by dreams attracted;

His streams slowly were flowing,

Was not fluttering in them the image unforgettable.

Already /there is/ no her! … Until sweet spring

Bid farewell I to bliss and to the soul.

Already by the autumn's cold hand

The heads of birches and lindens are bared,

She is noising in the oak woods deserted;

There day and night is circling a yellow leaf,

Is standing fog on waters cooled,

And is heard instant wind's whistle.

Fields, hills, familiar oak woods!

Keepers of sacred silence!

Свидетели моей тоски, забавы!
Забыты вы… до сладостной весны!

1816 г.

Witnesses of my melancholy, amusement!
Are forgotten you... until sweet spring!

1816

Не спрашивай, зачем унылой думой...

Не спрашивай, зачем унылой думой
Среди забав я часто омрачён,
Зачем на все подъемлю взор угрюмый,
Зачем не мил мне сладкой жизни сон;
Не спрашивай, зачем душой остылой
Я разлюбил весёлую любовь
И никого не называю милой —
Кто раз любил, уж не полюбит вновь;
Кто счастье знал, уж не узнает счастья.
На краткий миг блаженство нам дано:
От юности, от нег и сладострастья
Останется уныние одно...

1817

Do not ask what for by a despondent thought...

Do not ask, what for by a despondent thought
Among amusements I often am darkened
What for upon all lift the gaze gloomy,
What for /is/ not dear to me the sweet life's dream;
Do not ask what for by the soul cooled
I have fallen out of love with the merry love
And nobody am calling sweetheart –
Who once loved already will not fall in love again;
Do not ask what for by the soul cooled
Who happiness knew, already will not learn happiness.
For a brief moment bliss to us is given:
Of youth, of bliss and salacity
Will remain melancholy one...

1817

К Чаадаеву

Любви, надежды, тихой славы
Недолго нежил нас обман,
Исчезли юные забавы,
Как сон, как утренний туман;
Но в нас горит ещё желанье,
Под гнётом власти роковой
Нетерпеливою душой
Отчизны внемлем призыванье.
Мы ждем с томленьем упованья
Минуты вольности святой,
Как ждет любовник молодой
Минуты верного свиданья.
Пока свободою горим,
Пока сердца для чести живы,
Мой друг, отчизне посвятим
Души прекрасные порывы!
Товарищ, верь: взойдёт она,
Звезда пленительного счастья,
Россия вспрянет ото сна,
И на обломках самовластья
Напишут наши имена!

1818

To Chaadayev

Of love, of hope, of quiet fame
Not long canoodled us deception,
Have disappeared young amusements
Like a dream, like a morning fog;
But in us is burning still a desire
Under the oppression of the authority fatal
By an impatient soul
Of fatherland are harking to the call.
We are waiting with the languor of expectancy
For the minute of liberty sacred
As is waiting a lover young
For a minute of true date.
While by freedom we are burning,
While the hearts are for honour alive,
My friend, to motherland will dedicate
The soul's beautiful impulses!
Comrade, believe: will raise she,
The star of captivating happiness,
Russia will rise from sleep
And on the debris of autocracy
/They/ will write our names!

1818

Царское село

Хранитель милых чувств и прошлых наслаждений,
О ты, певцу дубрав давно знакомый гений,
Воспоминание, рисуй передо мной
Волшебные места, где я живу душой,
Леса, где я любил, где чувство развивалось,
Где с первой юностью младенчество сливалось
И где, взлелеянный природой и мечтой,
Я знал поэзию, весёлость и покой.
Веди, веди меня под липовые сени,
Всегда любезные моей свободной лени,
На берег озера, на тихий скат холмов!..
Да вновь увижу я ковры густых лугов,
И дряхлый пук дерев, и светлую долину,
И злачных берегов знакомую картину,
И в тихом озере, средь блещущих зыбей,
Станицу гордую спокойных лебедей.

Другой пускай поёт героев и войну,
Я скромно возлюбил живую тишину,
И, чуждый призраку блистательному славы,
Вам, Царского Села прекрасные дубравы,
Отныне посвятил безвестный музы друг
И песни мирные и сладостный досуг.

1819 г.

Tsarskoye Selo

The keeper of cute feelings and past enjoyments,
Oh, you, to the singer of the oak woods long known genius,
A reminiscence, draw in front of me
Magic places where I live with a soul,
Forests where I loved, where the feeling was developing,
Where with the first youth the infancy was merging
And where, cherished by nature and dream,
I knew poetry, cheerfulness and quiescence.
Lead, lead me under the linden canopies,
Always amiable to my free laziness,
To the shore of the lake, to the quiet slope of hills! ...
Let again will see I the carpets of dense meadows,
And decrepit bunch of trees, and a light valley,
And of lush shores a familiar picture,
And in a quiet lake, among glistening ripples
The flock proud of quiet swans,

Other let /he/ sing heroes and war,
I modestly have loved live quietness,
And, alien to the ghost brilliant of glory,
To you, of Tsarskoye Selo, beautiful oak woods,
From now has dedicated unknown muse's friend
And songs peaceful and sweet leisure.

1819

Я помню море пред грозою…

Я помню море пред грозою:
Как я завидовал волнам,
Бегущим бурной чередою
С любовью лечь к её ногам!
Как я желал тогда с волнами
Коснуться милых ног устами!
Нет, никогда средь пылких дней
Кипящей младости моей
Я не желал с таким мученьем
Лобзать уста младых Армид,
Иль розы пламенных ланит,
Иль перси, полные томленьем;
Нет, никогда порыв страстей
Так не терзал души моей!

1820

I remember the sea before the storm ...

I remember the sea before the storm:
How I envied the waves,
Running in a turbulent sequence
With love to lie to her feet!
How I wished then with the waves
To touch sweet feet with lips!
No, never among the ardent days
Of boiling youth of mine
I have not wished with such torment
To kiss the lips of young Armidas
Or roses of flaming cheeks,
Or breasts, full of languor;
No, never an impulse of passions
So not rankled the soul of mine!

1820

Редеет облаков летучая гряда...

Редеет облаков летучая гряда;
Звезда печальная, вечерняя звезда,
Твой луч осеребрил увядшие равнины,
И дремлющий залив, и чёрных скал вершины;
Люблю твой слабый свет в небесной вышине:
Он думы разбудил, уснувшие во мне.
Я помню твой восход, знакомое светило,
Над мирною страной, где все для сердца мило,
Где стройны тополы в долинах вознеслись,
Где дремлет нежный мирт и тёмный кипарис,
И сладостно шумят полуденные волны.
Там некогда в горах, сердечной думы полный,
Над морем я влачил задумчивую лень,
Когда на хижины сходила ночи тень —
И дева юная во мгле тебя искала
И именем своим подругам называла.

1820

Is thinning of the clouds flying bank...

Is thinning of the clouds flying bank;
A star sorrowful, an evening star,
Your ray has silvered withered plains,
And dozing bay, and of black mountains peaks;
/I/ love your weak light in the celestial height:
He thoughts awakened, having fallen asleep in me.
I remember your rise, familiar aster,
Over a peaceful country, where all for the heart is sweet,
Where slim poplars in valleys have risen,
Where is dozing tender myrtle and dark cypress,
And sweetly are noising the midday waves.
There sometime in the mountains, of hearty thought full,
Over the sea I was dragging pensive laziness,
When upon the huts came down the night's shadow –
And a maiden young in the haze for you was searching
And by the name of hers to girlfriends was calling.

1820

Погасло дневное светило...

Погасло дневное светило;

На море синее вечерний пал туман.

Шуми, шуми, послушное ветрило,

Волнуйся подо мной, угрюмый океан.

Я вижу берег отдалённый,

Земли полуденной волшебные края;

С волненьем и тоской туда стремлюся я,

Воспоминаньем упоённый...

И чувствую: в очах родились слёзы вновь;

Душа кипит и замирает;

Мечта знакомая вокруг меня летает;

Я вспомнил прежних лет безумную любовь,

И все, чем я страдал, и все, что сердцу мило,

Желаний и надежд томительный обман...

Шуми, шуми, послушное ветрило,

Волнуйся подо мной, угрюмый океан.

Лети, корабль, неси меня к пределам дальным

По грозной прихоти обманчивых морей,

Но только не к брегам печальным

Туманной родины моей,

Страны, где пламенем страстей

Впервые чувства разгорались,

Где музы нежные мне тайно улыбались,

Где рано в бурях отцвела

Моя потерянная младость,

Где легкокрылая мне изменила радость

И сердце хладное страданью предала.

Искатель новых впечатлений,

Я вас бежал, отечески края;

Has gone out the day aster...

Has gone out the day aster,
On the sea blue the evening has fallen fog.
Noise, noise, the obedient sail,
Billow under me, the sullen ocean.
I see the coast distant,
Of the land midday magical edges;
With agitation and anguish there am speeding I
By the reminiscence intoxicated…
And am feeling: in eyes have been born tears again;
The soul is boiling and standing still;
The dream familiar around me is flying;
I have remembered of previous years mad love,
And all, by which I had been suffering, and all what to the heart is sweet,
Of desires and hopes agonizing deception…
Noise, noise, the obedient sail,
Billow under me, the sullen ocean.
Fly, the ship, carry me to the limits far
At the formidable whim of deceptive seas,
But only not to the shores sorrowful
Of foggy motherland of mine,
Of the country, where by the flame of passions
First feelings were flaring up,
Where muses tender to me secretly were smiling,
Where early in storms had withered
My lost youth,
Where light-winged on me cheated cheerfulness
And the heart cold to suffering has committed
A seeker of new impressions,
I from you ran, fatherland regions;

Я вас бежал, питомцы наслаждений,
Минутной младости минутные друзья;
И вы, наперсницы порочных заблуждений,
Которым без любви я жертвовал собой,
Покоем, славою, свободой и душой,
И вы забыты мной, изменницы младые,
Подруги тайные моей весны златыя,
И вы забыты мной... Но прежних сердца ран,
Глубоких ран любви, ничто не излечило...
Шуми, шуми, послушное ветрило,
Волнуйся подо мной, угрюмый океан...

1820

I from you ran, pets of pleasures
A minute's youth minute's friends;
And you, confidantes of vicious delusions,
To which without love I sacrificed myself,
Peace, glory, freedom and soul,
And you are forgotten by me, traitors young,
Girlfriends secret of my spring golden,
And you are forgotten by me… But previous of the heart wounds,
Deep wounds, nothing has cured…
Noise, noise, the obedient sail,
Billow under me, the sullen ocean…

1820

У лукоморья дуб зелёный…

(отрывок из поэмы "Руслан и Людмила")

У лукоморья дуб зелёный;
Златая цепь на дубе том:
И днем и ночью кот учёный
Всё ходит по цепи кругом;
Идёт направо — песнь заводит,
Налево — сказку говорит.

Там чудеса: там леший бродит,
Русалка на ветвях сидит;
Там на неведомых дорожках
Следы невиданных зверей;
Избушка там на курьих ножках
Стоит без окон, без дверей;
Там лес и дол видений полны;
Там о заре прихлынут волны
На брег песчаный и пустой,
И тридцать витязей прекрасных
Чредой из вод выходят ясных,
И с ними дядька их морской;
Там королевич мимоходом
Пленяет грозного царя;
Там в облаках перед народом
Через леса, через моря
Колдун несёт богатыря;
В темнице там царевна тужит,
А бурый волк ей верно служит;
Там ступа с Бабою-Ягой
Идёт, бредёт сама собой;

At curved sea-shore an oak green...

(extract from a poem "Ruslan and Lyudmila")

At curved sea-shore an oak green;
A golden chain on the oak that:
And day and night a cat learned
Still is going on the chain around;
Goes right – a song starts
Left – a fairy tale tells.

There /are/ miracles: there a wood-goblin is wandering,
A mermaid on the branches is sitting;
There on unknown paths
/Are/ tracks of unknown animals;
A hut there on hen's legs
Is standing without windows, without doors;
There a wood and a dale of visions /are/ full;
There about dawn will gush waves
To the coast sand and empty,
And thirty knights handsome
In a sequence out of waters are coming out clear,
And with them uncle theirs marine;
There a prince in passing
Is capturing a formidable tsar;
There in clouds in front of people
Over the woods, over the seas
A sorcerer is carrying a hero;
In a dungeon there a tsarevna is grieving,
And a fulvous wolf to her is loyally serving;
There a mortar with Baba-Yaga
Is going, wandering by its own self;

Там царь Кащей над златом чахнет;
Там русский дух… там Русью пахнет!
И там я был, и мед я пил;
У моря видел дуб зелёный;
Под ним сидел, и кот учёный
Свои мне сказки говорил.

1820

There tsar Kashchey over the gold is pining;
There /is/ Russian smell...there of Russia /it/ smells!
And there I was, and honey I drank;
Near the sea saw the oak green;
Under him sat and the cat learned
His to me fairy tales was saying.

1820

Мой друг

Мой друг, забыты мной следы минувших лет
И младости моей мятежное теченье.
Не спрашивай меня о том, чего уж нет,
Что было мне дано в печаль и в наслажденье,
Что я любил, что изменило мне.
Пускай я радости вкушаю не вполне;
Но ты, невинная! ты рождена для счастья.
Беспечно верь ему, летучий миг лови:
Душа твоя жива для дружбы, для любви,
Для поцелуев сладострастья;
Душа твоя чиста; унынье чуждо ей;
Светла, как ясный день, младенческая совесть.
К чему тебе внимать безумства и страстей
Незанимательную повесть?
Она твой тихий ум невольно возмутит;
Ты слёзы будешь лить, ты сердцем содрогнёшься;
Доверчивой души беспечность улетит,
И ты моей любви… быть может, ужаснёшься.
Быть может, навсегда… Нет, милая моя,
Лишиться я боюсь последних наслаждений.
Не требуй от меня опасных откровений:
Сегодня я люблю, сегодня счастлив я.

1821

My friend

My friend, are forgotten by me the tracks of passed years
And of youth mine rebellious flowing.
Do not ask me about that, what already is not,
What was to me given in sorrow and in enjoyment,
What I loved, what has betrayed me.
Let I the joy partake not fully;
But you, innocent! you are born for happiness.
Recklessly believe him, a flying moment catch:
The soul of yours is alive for friendship and for love,
For kisses of salacity;
The soul of yours is clean; despondency is alien to her;
Light as a clear day, an infant conscience
For what to you to hark to of madness and passions
Unentertaining tale?
She your quiet mind will involuntarily perturb,
You tears will shed, you with the heart will shudder;
Of gullible soul nonchalance will fly away,
And you at my love … be may, will be horrified.
Be may, forever… No, sweetheart mine,
To lose I fear the last enjoyments.
Do not demand from me dangerous revelations:
Today I love, today happy /am/ I.

1821

Муза

В младенчестве моём она меня любила
И семиствольную цевницу мне вручила;
Она внимала мне с улыбкой, и слегка
По звонким скважинам пустого тростника
Уже наигрывал я слабыми перстами
И гимны важные, внушённые богами,
И песни мирные фригийских пастухов.
С утра до вечера в немой тени дубов
Прилежно я внимал урокам девы тайной;
И, радуя меня наградою случайной,
Откинув локоны от милого чела,
Сама из рук моих свирель она брала:
Тростник был оживлён божественным дыханьем
И сердце наполнял святым очарованьем.

1821 г.

Muse

In infancy of mine she me loved
And seven-barrel sackbut to me handed;
She was harking to me with a smile, and lightly
Along resonant holes of hollow reed
Already was running through I with weak fingers
And anthems important, instilled by gods,
And songs peaceful of Phrygian shepherds
From morning till evening in mute shade of oaks
Diligently I was harking to the lessons of a maiden secret;
And, rejoicing me with an award accidental,
Having thrown back locks off the cute forehead,
Herself out of hands of mine the sackbut she was taking:
The reed was revived by a divine breath
And the heart filled with sacred charm.

1821

Я пережил свои желанья...

Я пережил свои желанья,
Я разлюбил свои мечты;
Остались мне одни страданья,
Плоды сердечной пустоты.
Под бурями судьбы жестокой
Увял цветущий мой венец;
Живу печальный, одинокий,
И жду: придёт ли мой конец?
Так, поздним хладом поражённый,
Как бури слышен зимний свист,
Один на ветке обнажённой
Трепещет запоздалый лист

1821 г.

I have outlasted my desires ...

I have outlasted my desires,
I have fallen out of love with my dreams;
Are left for me one sufferings,
The fruits of heart's emptiness.
Under the storms of the fate cruel
Has withered blossoming my crown;
Am living sad, lonely,
And am waiting: will come whether my end?
So, by late cold affected
As of the storm is heard winter whistle,
One on the branch bare
Is fluttering a late leaf

1821

Песнь о вещем Олеге

Как ныне сбирается вещий Олег
Отмстить неразумным хазарам,
Их сёлы и нивы за буйный набег
Обрёк он мечам и пожарам;
С дружиной своей, в цареградской броне,
Князь по полю едет на верном коне.

Из тёмного леса навстречу ему
Идёт вдохновенный кудесник,
Покорный Перуну старик одному,
Заветов грядущего вестник,
В мольбах и гаданьях проведший весь век.
И к мудрому старцу подъехал Олег.

"Скажи мне, кудесник, любимец богов,
Что сбудется в жизни со мною?
И скоро ль, на радость соседей-врагов,
Могильной засыплюсь землёю?
Открой мне всю правду, не бойся меня:
В награду любого возьмёшь ты коня".

"Волхвы не боятся могучих владык,
А княжеский дар им не нужен;
Правдив и свободен их вещий язык
И с волей небесною дружен.
Грядущие годы таятся во мгле;
Но вижу твой жребий на светлом челе.

Запомни же ныне ты слово моё:

A song about prophetic Oleg

As today is gathering prophetic Oleg
To revenge the unreasonable Khazars,
Their villages and grain-fields for a riotous foray
Has doomed he to swords and to fires;
With the retinue of his, in Tsargrad armour,
The prince over the field is riding on a loyal horse.

Out of the dark wood towards him
Is going an inspired sorcerer,
Obedient to Perun the old man to one,
Of covenants of the future a herald,
In pleas and divinations spent the whole century.
And up to the wise old-man has ridden Oleg.

"Tel me, a sorcerer, a favourite of gods,
What will come true in life with me?
And so whether to the joy of neighbours-enemies,
With grave will bury earth?
Uncover me all the truth, do not fear me:
As a reward any will take you horse."

"The Magi do not fear powerful lords,
And the prince's gift to them is not needed;
Truthful and free /is/ their prophetic tongue
And with the will divine is friendly.
Forthcoming years are hiding in the mist;
But /I/ see your lot on the light forehead.

Remember then now you the word of mine:

Воителю слава — отрада;
Победой прославлено имя твоё;
Твой щит на вратах Цареграда;
И волны и суша покорны тебе;
Завидует недруг столь дивной судьбе.

И синего моря обманчивый вал
В часы роковой непогоды,
И пращ, и стрела, и лукавый кинжал
Щадят победителя годы...
Под грозной бронёй ты не ведаешь ран;
Незримый хранитель могущему дан.

Твой конь не боится опасных трудов;
Он, чуя господскую волю,
То смирный стоит под стрелами врагов,
То мчится по бранному полю.
И холод и сеча ему ничего...
Но примешь ты смерть от коня своего".

Олег усмехнулся — однако чело
И взор омрачилися думой.
В молчаньи, рукой опершись на седло,
С коня он слезает, угрюмый;
И верного друга прощальной рукой
И гладит и треплет по шее крутой.

"Прощай, мой товарищ, мой верный слуга,
Расстаться настало нам время;
Теперь отдыхай! уж не ступит нога
В твоё позлащённое стремя.

To the warrior glory – delight;
By victory is glorified the name of yours;
Your shield /is/ on the gates of Tsargrad;
And waves and land /are/ obedient to you;
Envies the enemy such wonderful fate.

And of the blue sea a deceptive billow
In the hours of fatal foul weather,
And a slingshot, and an arrow, and a sly dagger
Are sparing the winner years…
Under the formidable armour you do not know wounds;
Invisible keeper to the mighty is given.

Your horse does not fear dangerous labours;
He, sensing the master's will,
Then gentle is standing under the arrows of enemies,
Then is rushing over the battle field.
And cold and to him /are/ nothing…
But will accept you death from the horse of yours."

Oleg has sniggered – however, the forehead
And the gaze have darkened with the thought.
In silence, with the arm leaning on the saddle,
Off the horse he is dismounting, sullen;
And a loyal friend with a farewell hand
And is stroking and is patting on the neck steep.

"Farewell, my comrade, my loyal servant,
To part has come to us the time;
Now rest! Already will not step the foot
In your gilded stirrup.

Прощай, утешайся — да помни меня.
Вы, отроки-други, возьмите коня,

Покройте попоной, мохнатым ковром;
В мой луг под уздцы отведите;
Купайте; кормите отборным зерном;
Водой ключевою поите".
И отроки тотчас с конём отошли,
А князю другого коня подвели.

Пирует с дружиною вещий Олег
При звоне весёлом стакана.
И кудри их белы, как утренний снег
Над славной главою кургана...
Они поминают минувшие дни
И битвы, где вместе рубились они...

"А где мой товарищ? — промолвил Олег, —
Скажите, где конь мой ретивый?
Здоров ли? все так же ль легóк его бег?
Все тот же ль он бурный, игривый?"
И внемлет ответу: на холме крутом
Давно уж почил непробудным он сном.

Могучий Олег головою поник
И думает: "Что же гаданье?
Кудесник, ты лживый, безумный старик!
Презреть бы твоё предсказанье!
Мой конь и доныне носил бы меня".
И хочет увидеть он кости коня.

Farewell, console self – and remember me.
You, adolescents-friends, take the horse,

Cover with the horsecloth, a fluffy rug;
To my meadow by the bridle lead;
Bathe; feed with choice grain;
With water spring give to drink."
And adolescents immediately with the horse went aside,
And to the prince another horse led.

Is feasting with the retinue prophetic Oleg
At the clinking merry of a glass.
And the curls of theirs are white as morning snow
Over the glorious head of the mound…
They are commemorating the bygone days
And battles, where together slashed they…

"And where /is/ my comrade? – Said Oleg, –
Say, where the horse my mettlesome /is/?
/Is/ healthy whether? All the same whether /is/ light his running?
All the same whether /is/ he tempestuous, playful?"
And harks to the answer: on the mound steep
Long already has passed away with heavy he sleep.

Mighty Oleg with the head has drooped
And is thinking, "What about the divination?
The sorcerer, you /are/ a lying, mad old man!
Disdain would your prediction!
My horse and till now carried would have me."
And wants to see he the bones of the horse.

Вот **е**дет могучий Ол**е**г со дво**ра**,
С ним **И**горь и старые **го**сти,
И в**и**дят — на х**о**лме, у брега Днеп**ра**,
Леж**а**т благородные кости;
Их м**о**ют дожд**и**, засып**а**ет их пыль,
И в**е**тер волн**у**ет над н**и**ми ков**ы**ль.

Князь т**и**хо на ч**е**реп кон**я** наступ**и**л
И м**о**лвил: "Спи, друг одинокой!
Твой с**т**арый хоз**я**ин теб**я** переж**и**л:
На тр**и**зне, уже недал**ё**кой,
Не ты под секирой ков**ы**ль обагр**и**шь
И ж**а**ркою кров**ь**ю мой прах напо**и**шь!

Так вот где та**и**лась поги**бель мо**я!
Мне см**е**ртию кость угрож**а**ла!"
Из м**е**ртвой гл**а**вы гробов**а**я зм**и**я,
Шип**я**, м**е**жду тем выполз**а**ла;
Как ч**ё**рная л**е**нта, вкруг ног обв**и**л**а**сь,
И вскр**и**кнул внез**а**пно уж**а**ленный князь.

Ковш**и** кругов**ы**е, запен**я**сь, шип**я**т
На тр**и**зне плач**е**вной Ол**е**га;
Князь **И**горь и **О**льга на х**о**лме сид**я**т;
Друж**и**на пир**у**ет у бр**е**га;
Бойц**ы** помин**а**ют мин**у**вшие дни
И б**и**твы, где вм**е**сте руб**и**лись он**и**.

1822

Here is riding mighty Oleg from the yard,
With him Igor and old guests,
And /they/ see – on the hill, at the bank of the Dnepr,
Are lying noble bones;
Them are washing rains, is pouring on them dust,
And the wind is ruffling over them feather-grass.

The prince quietly on the skull of the horse stepped
And said, "Sleep, friend lonely!
Your old master you has outlived:
On the funeral-feast, already not far,
Not you under the poleax feather-grass will imbrue
And with hot blood my ashes will give to drink!

So here /is/ where was hiding the perdition of mine
To me with death a bone was threatening!"
Out of the dead head a coffin snake,
Hissing, meanwhile, was crawling out
Like a black ribbon around the legs has entwined
And screamed out the suddenly stung prince.

Ladles round-handed, having foamed, are hissing
On the funeral-feast sorrowful of Oleg;
Prince Igor and Olga on the hill are sitting;
The retinue is feasting near the shore;
The warriors are commemorating the bygone days
And battles where together had slashed they.

1822

Узник

Сижу за решёткой в темнице сырой.
Вскормлённый в неволе орёл молодой,
Мой грустный товарищ, махая крылом,
Кровавую пищу клюёт под окном,

Клюёт, и бросает, и смотрит в окно,
Как будто со мною задумал одно.
Зовёт меня взглядом и криком своим
И вымолвить хочет: "Давай улетим!

Мы вольные птицы; пора, брат, пора!
Туда, где за тучей белеет гора,
Туда, где синеют морские края,
Туда, где гуляем лишь ветер... да я!..."

1822

Prisoner

Am sitting behind the bars in the dungeon damp.
Fed in captivity the eagle young,
My sad comrade, waving a wing,
Bloody food is pecking under the window,

Is pecking and is quitting, and is looking in the window,
As if with me has bethought one.
Is calling me with the gaze and the screech of his
And to articulate wants, "Let's fly away!

We /are/ free birds; /it's/ time, brother, /it's/ time!
There, where behind the storm-cloud is whitening a mountain,
There, where are showing blue the sea lands,
There, where are walking only wind… and I! …"

1822

Бывало, в сладком ослепленье…

Бывало, в сладком ослепленье
Я верил избранным душам,
Я мнил — их тайное рожденье
Угодно властным небесам,
На них указывало мненье —
Едва приближился я к ним

. . . .

Моё беспечное незнанье
Лукавый демон возмутил,
И он моё существованье
С своим навек соединил.
Я стал взирать его глазами,
Мне жизни дался бедный клад,
С его неясными словами
Моя душа звучала в лад.
Взглянув на мир я взором ясным
И изумился в тишине;
Ужели он казался мне
Столь величавым и прекрасным?
Чего, мечтатель молодой,
Ты в нем искал, к чему стремился,
Кого восторженной душой
Боготворить не устыдился?
И взор я бросил на людей,
Увидел их надменных, низких,
Жестоких ветреных судей,
Глупцов, всегда злодейству близких.
Пред боязливой их толпой,
Жестокой, суетной, холодной,

Used to be, in sweet dazzle...

Used to be, in sweet dazzle
I believed chosen souls,
I was imagining – their secret birth
Is desired to imperious skies,
At them was pointing the opinion –
Just neared I them

. . . .

My reckless ignorance
A sly demon perturbed,
And he my existence
With his forever united.
I began to gaze with his eyes,
To me of life gave poor treasure,
With his unclear words
My soul was sounding in accordance.
Having glanced at the world I with the gaze clear
And amazed in the silence;
Whether it seemed to me
So stately and beautiful?
For what, a dreamer young,
You in it were seeking, to what were aspiring,
Whom with an enthusiastic soul
To worship was not ashamed?
And gaze I threw on people,
Saw them haughty, low,
Cruel flippant judges,
Fools, always to villainy close.
In front of fearsome their crowd,
Cruel, fussy, cold,

Смешон глас правды благородный.

Напрасен опыт вековой.

Вы правы, мудрые народы,

К чему свободы вольный клич!

Стадам не нужен дар свободы,

Их должно резать или стричь,

Наследство их из рода в роды

Ярмо с гремушками да бич.

1822 г.

Is ridiculous the voice of truth noble.
Is vain experience age-old.
You /are/ right, wise peoples,
For what of liberty free call!
To herds is not needed the gift of freedom,
Them must cut or shear
Heritage of theirs from kin to kin
/is/ yoke with rattles and a whip.

1822

Демон

В те дни, когда мне были новы
Все впечатленья бытия —
И взоры, дев, и шум дубровы,
И ночью пенье соловья,—
Когда возвышенные чувства,
Свобода, слава и любовь
И вдохновенные искусства
Так сильно волновали кровь,
Часы надежд и наслаждений
Тоской внезапной осеня,
Тогда какой-то злобный гений
Стал тайно навещать меня.
Печальны были наши встречи:
Его улыбка, чудный взгляд,
Его язвительные речи
Вливали в душу хладный яд.
Неистощимой клеветою
Он провиденье искушал;
Он звал прекрасное мечтою;
Он вдохновенье презирал;
Не верил он любви, свободе;
На жизнь насмешливо глядел —
И ничего во всей природе
Благословить он не хотел.

1823 г.

Demon

In those days, when to me were new
All impressions of being –
And gazes of maidens, and the noise of oak wood,
And at night the singing of the nightingale, –
When elevated feelings,
Freedom, fame and love
And inspired arts
So strongly perturbed blood,
The hours of hopes and pleasures
By languish suddenly overshadowing,
Then some evil genius
Began secretly visiting me.
Sorrowful were our meetings:
His smile, wonderful gaze,
His acrimonious speeches
Were pouring into the soul cold poison.
With inexhaustible slender
He the providence was tempting.
He was calling the beautiful a dream;
He inspiration despised;
Did not believe he in love, in freedom;
Upon life mockingly was looking –
And nothing in all nature
To bless he did not want.

1823

"Письмо Татьяны к Онегину" (отрывок из романа в стихах "Евгений Онегин")

Я к вам пишу — чего же боле?

Что я могу ещё сказать?

Теперь, я знаю, в вашей воле

Меня презреньем наказать.

Но вы, к моей несчастной доле

Хоть каплю жалости храня,

Вы не оставите меня.

Сначала я молчать хотела;

Поверьте: моего стыда

Вы не узнали б никогда,

Когда б надежду я имела

Хоть редко, хоть в неделю раз

В деревне нашей видеть вас,

Чтоб только слышать ваши речи,

Вам слово молвить, и потом

Все думать, думать об одном

И день и ночь до новой встречи.

Но, говорят, вы нелюдим;

В глуши, в деревне все вам скучно,

А мы... ничем мы не блестим,

Хоть вам и рады простодушно.

Зачем вы посетили нас?

В глуши забытого селенья

Я никогда не знала б вас,

Не знала б горького мученья.

Души неопытной волненья

"A letter of Tatyana to Onegin" (extract from the novel in verse "Yevgeniy Onegin")

I to you am writing – what is more?

What I can else say?

Now, I know, in your will

Me with contempt to punish.

But you, to my unfortunate lot

At least a drop of pity keeping,

You will not leave me.

At the beginning I to keep silent wanted;

Believe: my shame

You not have known would never,

When would hope I have

At least seldom, at least per week once

In the village of ours to see you,

In order to only hear your speeches,

To you a word to say, and then

All think, think about one

And day and night until the new meeting.

But, /they/ say, you are unsociable;

In the back-country, in the village all to you /is/ boring,

And we… with nothing we do not shine,

Although to you and glad ingenuously.

What for have you visited us?

In the back-country of the forgotten settlement

I never not have known would you,

Not have known would bitter torment.

Of the soul inexperienced agitations

Смирив со временем (как знать?),
По сердцу я нашла бы друга,
Была бы верная супруга
И добродетельная мать.

Другой!.. Нет, никому на свете
Не отдала бы сердца я!
То в вышнем суждено совете...
То воля неба: я твоя;
Вся жизнь моя была залогом
Свиданья верного с тобой;
Я знаю, ты мне послан богом,
До гроба ты хранитель мой...
Ты в сновиденьях мне являлся
Незримый, ты мне был уж мил,
Твой чудный взгляд меня томил,
В душе твой голос раздавался
Давно... нет, это был не сон!
Ты чуть вошёл, я вмиг узнала,
Вся обомлела, запылала
И в мыслях молвила: вот он!
Не правда ль? я тебя слыхала:
Ты говорил со мной в тиши,
Когда я бедным помогала
Или молитвой услаждала
Тоску волнуемой души?
И в это самое мгновенье
Не ты ли, милое виденье,
В прозрачной темноте мелькнул,
Приникнул тихо к изголовью?
Не ты ль, с отрадой и любовью,

Having subdued with time (how to know?),
According to the heart I would have found a friend,
Have been would a loyal spouse
And virtuous mother.

The other! ... No, to nobody in the world
Not have given would the heart I!
That in the higher is destined council...
That is the will of the sky: I /am/ your;
All life of mine was a pledge
Of a date true with you;
I know, you to me are sent by God,
Until the coffin you are the guardian mine...
You in dreams to me appeared
Invisible, you to me was already dear,
Your wonderful gaze me wearied,
In the soul your voice sounded
Long ago...no, this was not a dream!
You just came in, I at once recognized,
All was stupefied, flushed
And in thoughts said, here is he!
Not the truth whether? I you heard:
You were talking to me in silence,
When I the poor was helping
Or by the pray was sweetening
The anguish of the worried soul?
And at this very moment
Not you whether, a sweet vision,
In see-through darkness glimpsed,
Nestled quietly to the bed head?
Not you whether, with comfort and love,

Слова надежды мне шепнул?
Кто ты, мой ангел ли хранитель,
Или коварный искуситель:
Мои сомненья разреши.
Быть может, это все пустое,
Обман неопытной души!
И суждено совсем иное...
Но так и быть! Судьбу мою
Отныне я тебе вручаю,
Перед тобою слёзы лью,
Твоей защиты умоляю...
Вообрази: я здесь одна,
Никто меня не понимает,
Рассудок мой изнемогает,
И молча гибнуть я должна.
Я жду тебя: единым взором
Надежды сердца оживи
Иль сон тяжёлый перерви,
Увы, заслуженным укором!

Кончаю! Страшно перечесть...
Стыдом и страхом замираю...
Но мне порукой ваша честь,
И смело ей себя вверяю...

1824

The words of hope to me whispered?
Who /are/ you, my angel whether guardian,
Or a sly tempter:
My doubts solve.
Be may, this all is empty,
A delusion of an inexperienced soul!
And is destined absolutely other…
But so and to be! The fate of mine
From now on I to you am handling,
In front of you tears are shedding,
Your protection am begging…
Imagine: I here am alone,
Nobody me does not understand,
The mind of mine is exhausted
And silently perish I must.
I am waiting for you: with single gaze
The hopes of heart revive
Or the dream hard tear,
Alas, with a deserved reproach!

Am ending! Is scary to re-read…
With shame and fear am freezing…
But to me a bail is your honor,
And bravely to her myself am entrusting…

1824

Я помню чудное мгновенье …

Я помню чудное мгновенье:
Передо мной явилась ты,
Как мимолётное виденье,
Как гений чистой красоты.

В томленьях грусти безнадежной
В тревогах шумной суеты,
Звучал мне долго голос нежный
И снились милые черты.

Шли годы. Бурь порыв мятежный
Рассеял прежние мечты,
И я забыл твой голос нежный,
Твои небесные черты.

В глуши, во мраке заточенья
Тянулись тихо дни мои
Без божества, без вдохновенья,
Без слез, без жизни, без любви.

Душе настало пробужденье:
И вот опять явилась ты,
Как мимолётное виденье,
Как гений чистой красоты.

I remember a wonderful moment …

I remember a wonderful moment:
In front of me appeared you,
Like a fleeting vision,
Like a genius of pure beauty.

In languishes of sadness hopeless
In anxieties of noisy bustling,
Sounded to me long the voice tender
And dreamt sweet features.

Were going years. Of storms the gust rebellious
Dispelled the previous dreams,
And I forgot your voice tender,
Your divine features.

In back-country, in the darkness of the incarceration
Were dragging quietly the days of mine
Without deity, without inspiration,
Without tears, without life, without love.

To the soul came the awakening:
And here again appeared you,
Like a fleeting vision,
Like a genius of pure beauty.

И сердце бьётся в упоенье,
И для него воскресли вновь
И божество, и вдохновенье,
И жизнь, и слёзы, и любовь.

1825

And the heart is beating in rapture
And to him resurrected again
And deity, and inspiration,
And life, and tears, and love.

1825

19 октября

Роняет лес багряный свой убор,
Сребрит мороз увянувшее поле,
Проглянет день как будто поневоле
И скроется за край окружных гор.
Пылай, камин, в моей пустынной келье;
А ты, вино, осенней стужи друг,
Пролей мне в грудь отрадное похмелье,
Минутное забвенье горьких мук.

Печален я: со мною друга нет,
С кем долгую запил бы я разлуку,
Кому бы мог пожать от сердца руку
И пожелать весёлых много лет.
Я пью один; вотще воображенье
Вокруг меня товарищей зовёт;
Знакомое не слышно приближенье,
И милого душа моя не ждет.

Я пью один, и на брегах Невы
Меня друзья сегодня именуют...
Но многие ль и там из вас пируют?
Ещё кого не досчитались вы?
Кто изменил пленительной привычке?
Кого от вас увлёк холодный свет?
Чей глас умолк на братской перекличке?
Кто не пришёл? Кого меж вами нет?

Он не пришёл, кудрявый наш певец,
С огнём в очах, с гитарой сладкогласной:

19 October

Is shedding wood the crimson its attire,
Is silvering frost the withered field,
Will peep out a day, as if involuntarily
And will lurk behind the edge of surrounding mountains.
Blaze, fireplace, in my deserted cell;
And you, wine, of autumn severe cold a friend,
Spill to me into chest gratifying hangover,
A minute's oblivion of bitter torments.

Am sad I: with me friend /there is/ no.
With whom I long wash down would parting,
To who would be able to shake from the heart a hand,
And wish merry many years.
I am drinking alone; in vain imagination
Around me comrades is calling;
Familiar is not heard approaching,
And for the dear the soul of mine is not waiting.

I am drinking one, and on the banks of the Neva
Me friends today are naming…
But many whether and there of you are feasting?
Else who have not enough counted you?
Who betrayed the captivating habit?
Whom from you enticed away cold light?
Whose voice subsided on the brotherly roll call?
Who has not come? Who among you /there/ is not?

He has not come, curly our singer,
With fire in eyes, with a guitar sweet-voiced:

Под миртами Италии прекрасной
Он тихо спит, и дружеский резец
Не начертал над русскою могилой
Слов несколько на языке родном,
Чтоб некогда нашёл привет унылый
Сын севера, бродя в краю чужом.

Сидишь ли ты в кругу своих друзей,
Чужих небес любовник беспокойный?
Иль снова ты проходишь тропик знойный
И вечный лед полунощных морей?
Счастливый путь!.. С лицейского порога
Ты на корабль перешагнул шутя,
И с той поры в морях твоя дорога,
О волн и бурь любимое дитя!

Ты сохранил в блуждающей судьбе
Прекрасных лет первоначальны нравы:
Лицейский шум, лицейские забавы
Средь бурных волн мечталися тебе;
Ты простирал из-за моря нам руку,
Ты нас одних в младой душе носил
И повторял: "На долгую разлуку
Нас тайный рок, быть может, осудил!"

Друзья мои, прекрасен наш союз!
Он, как душа, неразделим и вечен —
Неколебим, свободен и беспечен,
Срастался он под сенью дружных муз.
Куда бы нас ни бросила судьбина
И счастие куда б ни повело,

Under the myrtles of Italy beautiful
He is quietly sleeping, and a friendly cutting tool
Has not inscribed over the Russian grave
Words several in the language native,
So that sometime found regards the gloomy
Son of the north, wandering in the region alien.

Are sitting whether you in the circle of your friends,
Of alien skies the lover restless?
Or again you are passing the tropic sultry
And the eternal ice of midnight seas?
A happy way! ... From the lyceum's threshold
You on the ship overstepped jokingly,
And since that time in seas is your road,
Oh, of waves and storms a favourite child!

You kept in wandering fate
Of beautiful years initial mores:
Lyceum's noise, lyceum's amusements
Among the stormy waves were dreaming to you;
You spread from behind the sea to us an arm,
You us alone in a young soul were carrying
And were repeating, "For long partying
Us secret doom, be may, has condemned!"

The friends of mine, beautiful is our alliance!
He, as a soul, /is/ indivisible and eternal –
Unshakeable, free and nonchalant,
Was accreting he under the canopy of friendly muses.
Wherever would us throw the fate
And happiness wherever would not have led,

Всё те же мы: нам целый мир чужбина;
Отечество нам Царское Село.

Из края в край преследуем грозой,
Запутанный в сетях судьбы суровой,
Я с трепетом на лоно дружбы новой,
Устав, приник ласкающей главой...
С мольбой моей печальной и мятежной,
С доверчивой надеждой первых лет,
Друзьям иным душой предался нежной;
Но горек был небратский их привет.

И ныне здесь, в забытой сей глуши,
В обители пустынных вьюг и хлада,
Мне сладкая готовилась отрада:
Троих из вас, друзей моей души,
Здесь обнял я. Поэта дом опальный,
О Пущин мой, ты первый посетил;
Ты усладил изгнанья день печальный,
Ты в день его Лицея превратил.

Ты, Горчаков, счастливец с первых дней,
Хвала тебе — фортуны блеск холодный
Не изменил души твоей свободной:
Всё тот же ты для чести и друзей.
Нам разный путь судьбой назначен строгой;
Ступая в жизнь, мы быстро разошлись:
Но невзначай просёлочной дорогой
Мы встретились и братски обнялись.

All the same are we: to us the whole world is foreign land;
Fatherland to us is Tsarskoye Selo.

From the region to the region followed by the thunderstorm,
Mingled in the nets of fate severe,
I with awe on the bosom of friendship new,
Having tired, nestled with a caressing head...
With the plea of mine sorrowful and rebellious,
With gullible hope of the first years,
To friends other with soul indulged tender;
But bitter was unfriendly their regards.

And now here, in forgotten this back-country,
In the abode of desert snowstorms and cold,
To me sweet was being prepared comfort:
Three of you, friends of my soul,
Here embraced I. The poet's house disgraced,
Oh, Pushchin mine, you the first visited;
You sweetened of the exile the day sad,
You in the day him of the Lyceum turned.

You, Gorchakov, a lucky man from the first days,
Praise to you – of fortune glitter cold
Has not changed the soul of yours free:
All the same you /are/ for the honour and friends.
To us different way by the fate is appointed strict;
Stepping into life, we quickly diverged:
But unexpectedly by the country road
We met and brotherly hugged.

Когда постиг меня судьбины гнев,
Для всех чужой, как сирота бездомный,
Под бурею главой поник я томной
И ждал тебя, вещун пермесских дев,
И ты пришёл, сын лени вдохновенный,
О Дельвиг мой: твой голос пробудил
Сердечный жар, так долго усыплённый,
И бодро я судьбу благословил.

С младенчества дух песен в нас горел,
И дивное волненье мы познали;
С младенчества две музы к нам летали,
И сладок был их лаской наш удел:
Но я любил уже рукоплесканья,
Ты, гордый, пел для муз и для души;
Свой дар, как жизнь, я тратил без вниманья,
Ты гений свой воспитывал в тиши.

Служенье муз не терпит суеты;
Прекрасное должно быть величаво:
Но юность нам советует лукаво,
И шумные нас радуют мечты...
Опомнимся — но поздно! и уныло
Глядим назад, следов не видя там.
Скажи, Вильгельм, не то ль и с нами было,
Мой брат родной по музе, по судьбам?

Пора, пора! душевных наших мук
Не стоит мир; оставим заблужденья!
Сокроем жизнь под сень уединенья!
Я жду тебя, мой запоздалый друг —

When got at me of the fate wrath,
For all alien, like an orphan homeless,
Under the storm with the head drooped I languid
And was waiting for you, soothsayer of Permesse maidens
And you came, the son of laziness inspired,
Oh, Delwig mine: your voice awakened
Hearty fever, so long lulled
And cheerfully I the fate blessed.

Since infancy the spirit of songs in us has flared,
And marvelous excitement we have learnt;
Since infancy two muses to us have been flying,
And sweet was with their affection our lot:
But I loved already applauses,
You, proud, were singing for muses and for the soul;
Your gift, like a life, I was wasting without attention,
You the genius of yours were upbringing in quietness.

The serving of muses does not tolerate fussing;
Beautiful must be stately:
But youth to us is advising slyly,
And noisy us are pleasing dreams…
Collect ourselves – but /it's/ late! And gloomily
Are looking back, the tracks not seeing there.
Say, Wilhelm, not that whether and with us was,
My brother blood by the muse, by the fates?

/It's/ time, /it's/ time! The soulful our torments
Is not worth the world; will leave delusions!
Will conceal the life under the umbrage of solitude!
I am waiting for you, my late friend –

Приди; огнём волшебного рассказа
Сердечные преданья оживи;
Поговорим о бурных днях Кавказа,
О Шиллере, о славе, о любви.

Пора и мне... пируйте, о друзья!
Предчувствую отрадное свиданье;
Запомните ж поэта предсказанье:
Промчится год, и с вами снова я,
Исполнится завет моих мечтаний;
Промчится год, и я явлюся к вам!
О, сколько слез и сколько восклицаний,
И сколько чаш, подъятых к небесам!

И первую полней, друзья, полней!
И всю до дна в честь нашего союза!
Благослови, ликующая муза,
Благослови: да здравствует Лицей!
Наставникам, хранившим юность нашу,
Всем честию, и мёртвым и живым,
К устам подъяв признательную чашу,
Не помня зла, за благо воздадим.

Полней, полней! и, сердцем возгоря,
Опять до дна, до капли выпивайте!
Но за кого? о други, угадайте...
Ура, наш царь! так! выпьем за царя.
Он человек! им властвует мгновенье.
Он раб молвы, сомнений и страстей;
Простим ему неправое гоненье:
Он взял Париж, он основал Лицей.

Come; with a fire of magic story
Hearty legends revive;
/we/ will talk about the violent days of the Caucasus,
About Schiller, about glory, about love.

/It's/ time and for me... feast, oh, friends!
Am anticipating delightful date;
Remember-then the poet's prediction:
Will rush the year, and with you again I /am/,
Will come true the covenant of my dreams;
Will rush a year, and I will appear to you!
Oh, how many tears and how many exclamations,
And how many cups, raised to the heavens!

And the first fuller, friends, fuller!
And all to the bottom in the honour of our alliance!
Bless, the triumphant muse,
Bless: Viva Lyceum!
To mentors, having kept the youth of ours,
To all the honour and dead and alive,
To the lips having raised an acknowledgement cup,
Not remembering the evil, for good will render.

Fuller, fuller! And, with heart, flaring,
Again to the bottom, to the drop drink up!
But for who? Oh, friends, guess...
Hooray, our tsar! So! Let's drink for the tsar.
He is a human! Over him is reigning a moment.
He is a slave of the rumour, doubts and passions;
/Let us/ forgive him unfair persecution:
He took Paris, he founded Lyceum.

Пируйте же, пока ещё мы тут!
Увы, наш круг час от часу редеет;
Кто в гробе спит, кто дальный сиротеет;
Судьба глядит, мы вянем; дни бегут;
Невидимо склоняясь и хладея,
Мы близимся к началу своему...
Кому ж из нас под старость день Лицея
Торжествовать придётся одному?

Несчастный друг! средь новых поколений
Докучный гость и лишний, и чужой,
Он вспомнит нас и дни соединений,
Закрыв глаза дрожащею рукой...
Пускай же он с отрадой хоть печальной
Тогда сей день за чашей проведёт,
Как ныне я, затворник ваш опальный,
Его провёл без горя и забот.

1825

Feast so, until still we are here!
Alas, our circle from hour to hour is thinning;
Who in the coffin is sleeping, who far is orphaning;
The fate is looking, we are withering; the days are running;
Invisibly bending and cooling,
We are nearing the beginning of ours...
To who of us at old age in the day of Lyceum
To triumph will have to alone?

Miserable friend! Among new generations
The irksome guest and odd, and alien,
He will remember us and days of uniting,
Having covered eyes with a trembling hand...
Let him with comfort although sorrowful
Then this day behind the cup will spend,
Like now I, the recluse of yours disgraced,
Him spent without sorrow and cares.

1825

Зимний вечер

Буря мглою небо кроет,
Вихри снежные крутя;
То, как зверь, она завоет,
То заплачет, как дитя,
То по кровле обветшалой
Вдруг соломой зашумит,
То, как путник запоздалый,
К нам в окошко застучит.

Наша ветхая лачужка
И печальна и темна.
Что же ты, моя старушка,
Приумолкла у окна?
Или бури завываньем
Ты, мой друг, утомлена,
Или дремлешь под жужжаньем
Своего веретена?

Выпьем, добрая подружка
Бедной юности моей,
Выпьем с горя; где же кружка?
Сердцу будет веселей.
Спой мне песню, как синица
Тихо за морем жила;
Спой мне песню, как девица
За водой поутру шла.

Буря мглою небо кроет,
Вихри снежные крутя;

Winter evening

The storm with mist the sky is covering,
Whirlwinds snowy twirling,
Then like a beast she will start howling,
Then will start crying like a baby,
Then on the roof dilapidated
Suddenly with straw will bluster,
Then like a wayfarer late,
To us in the window will knock.

Our dilapidated hut
And is sorrowful and dark.
What are you, my old lady,
Have fallen silent by the window?
Or with the storm howling
You, my friend, are tired,
Or are drowsing under the buzzing
Of your spindle?

/Let us/ drink, kind girlfriend
Of poor youth of mine,
/Let us/ drink from sorrow; where is the mug?
To the heart will be merrier.
Sing me a song how a tit
Quietly behind the sea was living;
Sing me a song how a maid
For the water in the morning was going.

The storm with mist the sky is covering,
Whirlwinds snowy twirling,

То, как зверь, она завоет,
То заплачет, как дитя.
Выпьем, добрая подружка
Бедной юности моей,
Выпьем с горя; где же кружка?
Сердцу будет веселей.

1825

Then like a beast she will start howling,
Then will start crying like a baby,
/Let us/ drink, kind girlfriend
Of poor youth of mine,
/Let us/ drink from sorrow; where is the mug?
To the heart will be merrier.

1825

Храни меня, мой талисман...

Храни меня, мой талисман,
Храни меня во дни гоненья,
Во дни раскаянья, волненья:
Ты в день печали был мне дан.

Когда подымет океан
Вокруг меня валы ревучи,
Когда грозою грянут тучи —
Храни меня, мой талисман.

В уединенье чуждых стран,
На лоне скучного покоя,
В тревоге пламенного боя
Храни меня, мой талисман.

Священный сладостный обман,
Души волшебное светило…
Оно сокрылось, изменило…
Храни меня, мой талисман.

Пускай же ввек сердечных ран
Не растравит воспоминанье.
Прощай, надежда; спи, желанье;
Храни меня, мой талисман.

1825 г.

Guard me, my talisman...

Guard me, my talisman,
Guard me in the days of persecution,
In the days of remorse, agitation:
You in the days of sorrow was to me given.

When will raise the ocean
Around me rollers roaring,
When with a thunderstorm will burst out storm clouds –
Guard me, my talisman.

In solitude of alien countries,
On the bosom of boring quiescence
In the anxiety of flaring battle
Guard me, my talisman.

Sacred sweet deception,
Of the soul magic aster...
It hid itself, betrayed...
Guard me, my talisman.

Let then never of heart wounds
Will not irritate the reminiscence
Farewell, hope; sleep, desire;
Guard me, my talisman.

1825

Зима!.. Крестьянин, торжествуя… (Отрывок из "Евгения Онегина")

Зима!.. Крестьянин, торжествуя,

На дровнях обновляет путь;

Его лошадка, снег почуя,

Плетётся рысью как-нибудь;

Бразды пушистые взрывая,

Летит кибитка удалая;

Ямщик сидит на облучке

В тулупе, в красном кушаке.

Вот бегает дворовый мальчик,

В салазки жучку посадив,

Себя в коня преобразив;

Шалун уж заморозил пальчик:

Ему и больно и смешно,

А мать грозит ему в окно…

1825

Winter! ... A peasant, triumphing ... (Extract from "Yevgeniy Onegin")

Winter! ... A peasant, triumphing,
On the wood-sledge is renewing the way;
His horse, snow smelling,
Is trailing in trotter somehow;
Furrows fluffy digging up,
Is flying a tilt-cart dashing;
A coachman is sitting on the coachman's seat
In a sheepskin coat, in a red sash.
Here is running a house-boy,
In the sleds a doggie having seated,
Himself into a horse having transformed;
The naughty already has frozen off a finger:
To him and painful and funny,
And mother is threatening him in the window...

1825

Зимняя дорога

Сквозь волнистые туманы
Пробирается луна,
На печальные поляны
Льет печально свет она.

По дороге зимней, скучной
Тройка борзая бежит,
Колокольчик однозвучный
Утомительно гремит.

Что-то слышится родное
В долгих песнях ямщика:
То разгулье удалое,
То сердечная тоска...

Ни огня, ни чёрной хаты,
Глушь и снег... Навстречу мне
Только вёрсты полосаты
Попадаются одне...

Скучно, грустно... Завтра, Нина,
Завтра к милой возвратясь,
Я забудусь у камина,
Загляжусь не наглядясь.

Звучно стрелка часовая
Мерный круг свой совершит,
И, докучных удаляя,
Полночь нас не разлучит.

Winter road

Through the wavy fogs
Is wading the moon,
On sorrowful glades
Is pouring sadly the light she.

Along the road winter, boring,
A carriage-and-three swift is running,
The bell single-sounded
Tiresome is rattling.

Something is heard native
In the long songs of the coachman:
Then the merry-making dashing,
Then the hearty anguish.

Neither the fire, nor a black hut,
Back-country and snow... Towards me
Only versts are striped
Occur one...

Boring, sad... Tomorrow, Nina,
Tomorrow to the sweet having returned,
I will doze off by the fireplace,
Will be staring, not having enough looked.

Sonorously the hand hour
Even circle of its will make,
And, irksome deleting,
Midnight us will not part.

Грустно, Нина: путь мой скучен,
Дремля смолкнул мой ямщик,
Колокольчик однозвучен,
Отуманен лунный лик.

1826

Sad, Nina: the way of mine is boring,
Dozing, has fallen silent my coachman,
The bell is single-sounded,
Fogged is the moon's face.

1826

Уж небо *осенью* дышало...
(отр*ы*вок из "Евгения Онегина")

Уж небо осенью дышало,

Уж реже солнышко блистало,

Короче становился день,

Лесов таинственная сень

С печальным шумом обнажалась,

Ложился на поля туман,

Гусей крикливых караван

Тянулся к югу: приближалась

Довольно скучная пора;

Стоял ноябрь уж у двора.

1826

Already the sky with autumn was breathing…
(Extract from "Yevgeniy Onegin")

Already the sky with autumn was breathing…

Already more seldom the sun was shining,

Shorter was becoming a day,

Of woods the mysterious canopy

With sorrowful noise was stripping,

Was lying on the fields fog,

Of geese clamorous caravan

Was dragging to the south: was nearing

Quite a boring time;

Was standing November already at the yard.

1826

Пророк

Духовной жаждою томим,
В пустыне мрачной я влачился,
И шестикрылый серафим
На перепутье мне явился.
Перстами лёгкими как сон
Моих зениц коснулся он:
Отверзлись вещие зеницы,
Как у испуганной орлицы.
Моих ушей коснулся он,
И их наполнил шум и звон:
И внял я неба содроганье,
И горний ангелов полёт,
И гад морских подводный ход,
И дольней лозы прозябанье.
И он к устам моим приник,
И вырвал грешный мой язык,
И празднословный и лукавый,
И жало мудрыя змеи
В уста замершие мои
Вложил десницею кровавой.
И он мне грудь рассёк мечом,
И сердце трепетное вынул,
И угль, пылающий огнём,
Во грудь отверстую водвинул.
Как труп в пустыне я лежал,
И бога глас ко мне воззвал:
"Востань, пророк, и виждь, и внемли,
Исполнись волею моей

A prophet

With spiritual thirst languished,
In the desert gloomy I was dragging,
And six-winged seraph
On the crossroads to me appeared.
With fingers light as dream
My eyes touched he:
Opened up prophetic eyes,
Like of a scared eagle-hen.
My ears touched he,
And them filled noise and ringing:
And harked I to the sky shuddering,
And mountain the angels' flight,
And of the reptiles marine underwater pace,
And of far vine stagnation.
And he to the lips of mine nested
And tore out the sinful my tongue,
And idle-worded and sly,
And the forked tongue wise of the snake
Into the lips frozen of mine
Put in with a hand blood-stained.
And he to me the chest slashed with a sword,
And the heart fluttering took out,
And coal, blazing with fire,
Into the chest opened up moved in.
Like a corpse in the desert I was lying,
And the god's voice to me called:
"Raise up, the prophet, and see, and hark,
Fill up with the will of mine

И, обходя моря и земли,
Глаголом жги сердца людей."

1826

And, going over the seas and lands,
With a word /verb/ burn the hearts of people."

1826

Няне

Подруга дней моих суровых,
Голубка дряхлая моя!
Одна в глуши лесов сосновых
Давно, давно ты ждешь меня.
Ты под окном своей светлицы
Горюешь, будто на часах,
И медлят поминутно спицы
В твоих наморщенных руках.
Глядишь в забытые вороты
На чёрный отдалённый путь;
Тоска, предчувствия, заботы
Теснят твою всечасно грудь.
То чудится тебе . . . .

1826 г.

To Nanny

A girlfriend of days of mine severe,
A dove decrepit of mine!
One in the backwoods of the forests pine
Long, long you are waiting for me.
You under the window of your bright-room
Are grieving as if on the clock,
And are lingering every minute /knitting/ needles
In your wrinkled hands.
Are looking into the forgotten gates
Upon the black distant way;
Languish, premonitions, cares
Are squeezing your every hour chest.
Then seems to you……..

1826

Песни о Стеньке Разине

1

Как по Волге-реке, по широкой
Выплывала востроносая лодка,
Как на лодке гребцы удалые,
Казаки, ребята молодые.
На корме сидит сам хозяин,
Сам хозяин, грозен Стенька Разин,
Перед ним красная девица,
Полонённая персидская царевна.
Не глядит Стенька Разин на царевну,
А глядит на матушку на Волгу.
Как промолвит грозен Стенька Разин:
"Ой ты гой еси, Волга, мать родная!
С глупых лет меня ты воспоила,
В долгу ночь баюкала, качала,
В волновую погоду выносила,
За меня ли молодца не дремала,
Казаков моих добром наделила.
Что ничем тебя ещё мы не дарили".
Как вскочил тут грозен Стенька Разин,
Подхватил персидскую царевну,
В волны бросил красную девицу,
Волге-матушке ею поклонился.

2

Ходил Стенька Разин
В Астрахань-город
Торговать товаром.
Стал воевода

Songs about Stenka Razin

1

As along the Volga-river, along the wide
Was floating out the sharp-nosed boat,
As on the boat the rowers daring,
Cossacks, men young.
On the stern is sitting himself the master,
Himself the master, formidable Stenka Razin,
In front of him a fair maiden,
Captured Persian princess.
Is not looking Stenka Razin at the princess,
And is looking at the mother at the Volga.
As says formidable Stenka Razin,
"Oh, you, existing, Volga, mother own!
Since stupid years me you have brought up,
In the long night was lulling, was rocking,
In stormy weather was carrying,
For me whether fine fellow did not doze,
Cossacks of mine with good endowed.
That with nothing you yet we have not gifted."
As sprung up here formidable Stenka Razin,
Caught up the Persian princess,
In the waves threw the fair maiden,
To Volga-mother with her has bowed.

2

Was going Stenka-Razin
To Astrakhan-city
To trade goods.
Began the general-governor

Требовать подарков.

Поднёс Стенька Разин

Камки хрущатые,

Камки хрущатые —

Парчи золотые.

Стал воевода

Требовать шубы.

Шуба дорогая,

Полы-то новы,

Одна боброва,

Другая соболья.

Ему Стенька Разин

Не отдаёт шубы.

"Отдай, Стенька Разин,

Отдай с плеча шубу!

Отдашь, так спасибо;

Не отдашь — повешу.

Что во чистом поле,

На зелёном дубе,

На зелёном дубе,

Да в собачьей шубе".

Стал Стенька Разин

Думати думу:

"Добро, воевода,

Возьми себе шубу.

Возьми себе шубу,

Да не было б шуму".

3

Что не конский топ, не людская молвь,

Не труба трубача с поля слышится,

To demand presents.

Carried Stenka Razin

Damasks crispy,

Damasks crispy –

Brocades gold.

Began the general-governor

To demand fur-coats.

A fur-coat /is/ expensive

The laps /are/ new,

One beaver,

The other sable.

To him Stenka Razing

Is not giving the fur-coats.

"Give, Stenka Razin,

Give off the shoulder the fur-coat!

Will give, so thanks;

Will not give – will hang.

That in the clear field,

On the green oak,

On the green oak,

And in the dog's fur-coat."

Began Stenka Razin

Thinking a thought,

"Good, general-governor,

Take to yourself the fur-coat,

Take to yourself the fur-coat,

And not have been would the noise."

3

That is not the horse stamping, not the people talk,

Not the trumpet of the trumpeter from the field is heard,

А погодушка свищет, гудит,

Свищет, гудит, заливается.

Зазывает меня, Стеньку Разина,

Погулять по морю, по синему:

"Молодец удалой, ты разбойник лихой,

Ты разбойник лихой, ты разгульный буян.

Ты садись на ладьи свои скорые

Распусти паруса полотняные,

Побеги по морю по синему.

Пригоню тебе три кораблика:

На первом корабле красно золото,

На втором корабле чисто серебро,

На третьем корабле душа-девица".

1826 г.

And the weather is whistling, is buzzing,
Is whistling, is buzzing, is warbling,
Is calling me, Stenka Razin,
To walk over the sea, over the blue,
"Fine fellow, you are a robber dashing,
You are a robber dashing, you are a rackety rowdy.
You sit on the shallops of yours fast
Loosen the sails linen
Run over the sea blue.
Will bring to you three ships:
On the first ship red gold,
On the second ship pure silver,
On the third ship soul-maiden."

1826

Соловей и роза

В безмолвии садов, весной, во мгле ночей,
Поёт над розою восточный соловей.
Но роза милая не чувствует, не внемлет,
И под влюблённый гимн колеблется и дремлет.
Не так ли ты поёшь для хладной красоты?
Опомнись, о поэт, к чему стремишься ты?
Она не слушает, не чувствует поэта;
Глядишь — она цветёт; взываешь — нет ответа.

1827

A nightingale and a rose

In the silence of gardens, in spring, in the mist of the nights,
Is singing over the rose the eastern nightingale.
But the rose cute is not feeling, is not harking,
And under the amorous hymn is hesitating and dozing.
Not so whether you are singing for cold beauty?
Remember yourself, oh, poet, to what are aspiring you?
She is not listening, is not feeling the poet;
Are looking – she is blooming, are calling – no answer.

1827

Желание

Медлительно влекутся дни мои,
И каждый миг в унылом сердце множит
Все горести несчастливой любви
И все мечты безумия тревожит.
Но я молчу; не слышен ропот мой;
Я слёзы лью; мне слёзы утешенье;
Моя душа, пленённая тоской,
В них горькое находит наслажденье.
О жизни час! лети, не жаль тебя,
Исчезни в тьме, пустое привиденье;
Мне дорого любви моей мученье —
Пускай умру, но пусть умру любя!

1827

Desire

Sluggishly are dragging the days of mine,
And each moment in the despondent heart is multiplying
All sorrows of unhappy love
And all dreams of madness is disturbing.
But I keep silent; is not heard the grumble of mine;
I tears am shedding; to me tears are a consolation;
My soul, captured by anguish,
In them bitter finds enjoyment.
Oh, the life's hour! Fly, do not pity yourself,
Disappear in the darkness, empty ghost;
To me is dear of love of mine torment –
Let /me/ die, but let /me/ die loving!

1827

Признание

Я вас люблю, — хоть я бешусь,
Хоть это труд и стыд напрасный,
И в этой глупости несчастной
У ваших ног я признаюсь!
Мне не к лицу и не по летам...
Пора, пора мне быть умней!
Но узнаю по всем приметам
Болезнь любви в душе моей:
Без вас мне скучно, — я зеваю;
При вас мне грустно, — я терплю;
И, мочи нет, сказать желаю,
Мой ангел, как я вас люблю!
Когда я слышу из гостиной
Ваш лёгкий шаг, иль платья шум,
Иль голос девственный, невинный,
Я вдруг теряю весь свой ум.
Вы улыбнётесь, — мне отрада;
Вы отвернётесь, — мне тоска;
За день мучения — награда
Мне ваша бледная рука.
Когда за пяльцами прилежно
Сидите вы, склонясь небрежно,
Глаза и кудри опустя, —
Я в умиленье, молча, нежно
Любуюсь вами, как дитя!..
Сказать ли вам моё несчастье,
Мою ревнивую печаль,
Когда гулять, порой, в ненастье,
Вы собираетеся вдаль?

Confession

I you love – though I rage,
Though this labour and shame are vain,
And in this silliness unhappy
At your feet I am confessing!
To me is not to the face and not according to the years…
/it's/ time, /it's/ time for me to be cleverer!
But /I/ recognize by all the signs
The illness of love in the soul of mine:
Without you to me is boring – I am yawning;
By you to me is sad – I am enduring;
And, might is no, to say /I/ desire
My angel, how I you love!
When I hear from the living room
Your light step or of the dress noise,
Or the voice virgin, innocent,
I suddenly lose all my mind.
You will smile – to me is delight;
You will turn away – to me is anguish;
For a day of torment – an award
To me is your pale hand.
When behind the tambour diligently
Are sitting you, having bent negligently,
Eyes and locks having lowered –
I am in tenderness, silently, affectionately
Am admiring you like a child! …
To tell whether you my misery,
My jealous sorrow,
When to walk, at times, in foul weather,
You are gathering far away?

И ваши слёзы в одиночку,
И речи в уголку вдвоём,
И путешествия в Опочку,
И фортепьяно вечерком?..
Алина! сжальтесь надо мною.
Не смею требовать любви.
Быть может, за грехи мои,
Мой ангел, я любви не стою!
Но притворитесь! Этот взгляд
Всё может выразить так чудно!
Ах, обмануть меня не трудно!..
Я сам обманываться рад!

1828

And your tears alone,
And speeches in the corner together,
And journeys to Opochka,
And the piano in the evening? ...
Alina! Take pity on me.
Do not dare demand love.
Be may, for the sins of mine,
My angel, I love am not worth!
But pretend! This gaze
All can express so wonderfully!
Ah, to deceive me is not hard! ...
I myself to get deceived am glad!

1828

Утопленник. Простонародная сказка

Прибежали в избу дети,
Второпях зовут отца:
"Тятя! тятя! наши сети
Притащили мертвеца".
"Врите, врите, бесенята,—
Заворчал на них отец: —
Ох, уж эти мне робята!
Будет вам ужо мертвец!

Суд наедет, отвечай-ка;
С ним я ввек не разберусь;
Делать нечего; хозяйка,
Дай кафтан: уж поплетусь…
Где ж мертвец?" — "Вон, тятя, э-вот"
В самом деле, при реке,
Где разостлан мокрый невод,
Мёртвый виден на песке.

Безобразно труп ужасный
Посинел и весь распух.
Горемыка ли несчастный
Погубил свой грешный дух,
Рыболов ли взят волнами,
Али хмельный молодец,
Аль ограбленный ворами
Недогадливый купец?

Мужику какое дело?
Озираясь, он спешит;

A drowned man. A folksy fairy tale

Have run into the hut children,
Hurriedly call the father,
"Daddy! Daddy! Our nets
Have dragged a dead man."
"Lie, lie, imps, –
Grumbled at them father, –
Oh, these to me children!
Will be to you already a dead man!

The court will ride, answer;
With him I in a century will not solve;
To do /there is/ nothing; a mistress,
Give a caftan: already will drag…
Where is the dead man?" – "There, daddy, a-here"
Indeed, by the river,
Where is spread a wet seine,
The dead is seen on the sand.

Ugly the corpse horrible
Has gone blue and all bloated.
A lack-all whether miserable
Ruined his sinful spirit.
Fisherman whether is taken by the waves,
Or a intoxicated fine fellow,
Or robbed by the thieves
Slow-witted merchant?

To the man what business?
Looking around, he is hurrying;

Он потопленное тело
В воду за ноги тащит,
И от берега крутого
Оттолкнул его веслом,
И мертвец вниз поплыл снова
За могилой и крестом.

Долго мёртвый меж волнами
Плыл качаясь, как живой;
Проводив его глазами,
Наш мужик пошёл домой.
"Вы, щенки! за мной ступайте!
Будет вам по калачу,
Да смотрите ж, не болтайте,
А не то поколочу".

В ночь погода зашумела,
Взволновалася река,
Уж лучина догорела
В дымной хате мужика,
Дети спят, хозяйка дремлет,
На полатях муж лежит,
Буря воет; вдруг он внемлет:
Кто-то там в окно стучит.

"Кто там?" — "Эй, впусти, хозяин!"
"Ну, какая там беда?
Что ты ночью бродишь, Каин?
Чёрт занёс тебя сюда;
Где возиться мне с тобою?
Дома тесно и темно".

He the drowned body
Into the water by the legs is dragging,
And from the bank steep
Pushed off him with an oar,
And the dead man down floated again
For a grave and a cross.

Long the dead among the waves
Was floating, rocking as alive;
Having followed him with the eyes,
Our man went home.
"You, puppies, after me go!
Will be to you each a padlock-shaped loaf,
And look, do not blab,
Or not that will beat."

At night the weather blustered,
Surged the river,
Already a torch-chip has burnt out
In the smoky hut of the man,
Children are sleeping, the mistress is dozing,
On the plank-bed the husband is lying,
The storm is howling; suddenly he is harking:
Somebody there in the window is knocking.

"Who is there?" – "Hey, let in, master!"
"Well, what there is the trouble?
What you at night are wandering, Cain
The devil has brought you here;
Where to fuss me with you?
At home is crowded and dark."

И ленивою рукою
Подымает он окно.

Из-за туч луна катится —
Что же? голый перед ним:
С бороды вода струится,
Взор открыт и недвижим,
Все в нем страшно онемело,
Опустились руки вниз,
И в распухнувшее тело
Раки чёрные впились.

И мужик окно захлопнул:
Гостя голого узнав,
Так и обмер: "Чтоб ты лопнул!"
Прошептал он, задрожав.
Страшно мысли в нем мешались,
Трясся ночь он напролёт,
И до утра всё стучались
Под окном и у ворот.

Есть в народе слух ужасный:
Говорят, что каждый год
С той поры мужик несчастный
В день урочный гостя ждет;
Уж с утра погода злится,
Ночью буря настаёт,
И утопленник стучится
Под окном и у ворот.

1828 г.

And with a lazy hand
Is raising he the window.

From behind the clouds the moon is rolling –
What then? Naked in front of him:
From the beard the water is streaming,
The gaze is open and fixed,
All in him terribly has become dumb,
Have lowered the arms down,
And into the swollen body
Crayfish black have sunk.

And the man, the widow having slammed,
The guest naked having recognizes,
So and froze, "For you to burst!"
Whispered he, shuddering.
Horribly the thoughts in him were mingling,
Was shaking the night he through
And till morning still were knocking
Under the window and by the gates.

/There/ is in the people the rumour horrible:
/They/ say that every year
Since that time the man miserable
On the day fixed for the guest is waiting,
Already since morning the weather is raging,
At night the storm begins,
And the drowned man is knocking
Under the window and at the gates.

1828

Друзьям (Нет, я не льстец, когда царю...)

Нет, я не льстец, когда царю
Хвалу свободную слагаю:
Я смело чувства выражаю,
Языком сердца говорю.

Его я просто полюбил:
Он бодро, честно правит нами;
Россию вдруг он оживил
Войной, надеждами, трудами.

О нет, хоть юность в нем кипит,
Но не жесток в нем дух державный;
Тому, кого карает явно,
Он втайне милости творит.

Текла в изгнанье жизнь моя;
Влачил я с милыми разлуку,
Но он мне царственную руку
Простёр — и с вами снова я.

Во мне почтил он вдохновенье;
Освободил он мысль мою,
И я ль в сердечном умиленье
Ему хвалы не воспою?

Я льстец! Нет, братья, льстец лукав;
Он горе на царя накличет,
Он из его державных прав

To friends (No, I /am/ not a flatterer, when to the tsar...)

No, I /am/ not a flatterer when to the tsar
The praise free am composing:
I boldly feelings am expressing,
With the language of the heart am speaking.

Him I simply came to love:
He cheerfully, fairly is reining us;
Russia suddenly he has revived
By war, by hopes and by labours.

Oh, no, though youth in him is boiling,
No, not cruel is in him the spirit sovereign;
To that whom is punishing evidently,
He in secret favours is creating.

Was flowing in exile the life of mine;
Was dragging I with the dear parting,
But he to me a royal arm
Ha spread – and with you again /am/ I.

In me has honoured he inspiration;
Has freed he the thought of mine,
And I whether in hearty tender feeling
To him praise will not sing?

I /am/ a flatterer! No, brothers, a flatterer is sly;
He grieve upon the tsar will call,
He from his sovereign rights

Одну лишь милость ограничит.

Он скажет: презирай народ,
Глуши природы голос нежный.
Он скажет: просвещенья плод —
Разврат и некий дух мятежный!

Беда стране, где раб и льстец
Одни приближены к престолу,
А небом избранный певец
Молчит, потупя очи долу.

1828 г.

One only favour will limit.

He will say: despise the people,
Choke nature's voice tender.
He will say: of the enlightenment fruit –
/Is/ lechery and some spirit rebellious!

Woe to the country, where a slave and a flatterer
Alone are confidant to the throne,
And by the sky chosen singer
Keeps silent, having cast the eyes downwards.

1828

Анчар

В пустыне чахлой и скупой,
На почве, зноем раскалённой,
Анчар, как грозный часовой,
Стоит — один во всей вселенной.

Природа жаждущих степей
Его в день гнева породила,
И зелень мёртвую ветвей
И корни ядом напоила.

Яд каплет сквозь его кору,
К полудню растопясь от зною,
И застывает ввечеру
Густой прозрачною смолою.

К нему и птица не летит,
И тигр нейдёт: лишь вихорь чёрный
На древо смерти набежит —
И мчится прочь, уже тлетворный.

И если туча оросит,
Блуждая, лист его дремучий,
С его ветвей, уж ядовит,
Стекает дождь в песок горючий.

Но человека человек
Послал к анчару властным взглядом,
И тот послушно в путь потек
И к утру возвратился с ядом.

Upas

In a desert stunted and stingy,
On the soil, by heat incandesced,
A upas, like a formidable watchman,
Is standing – alone in all universe.

The nature of thirsty steppes
Him on the day of anger bore,
And the green dead of the branches
And roots with poison has saturated.

The poison is dropping though its bark,
By midday having melt from heat,
And is freezing by the evening
In thick transparent resin.

To him and a bird is not flying,
And a tiger is not going: only the whirlwind black
On the tree of death will run –
And is rushing away, already pestilential.

And if the storm-cloud will sprinkle,
Wandering, the leaf of his dense,
From his branches, already poisonous,
Is streaming rain into the sand combustible.

But a person the person
Has sent to the upas by a powerful gaze,
And that obediently upon the way has flown
And by morning has returned with the poison.

Принёс он смертную смолу
Да ветвь с увядшими листами,
И пот по бледному челу
Струился хладными ручьями;

Принёс — и ослабел и лег
Под сводом шалаша на лыки,
И умер бедный раб у ног
Непобедимого владыки.

А царь тем ядом напитал
Свои послушливые стрелы
И с ними гибель разослал
К соседям в чуждые пределы.

1828

Has brought he deadly resin
And a branch with withered leaves,
And sweat upon the pale forehead
Was streaming in cold streams;

Has brought – and grown weak and lay
Under the vault of the hovel on the flints,
And died a poor slave at the feet
Of the invincible lord.

And the tsar with that poison has saturated
His obedient arrows
And with them perdition has sent
To neighbours to alien precincts.

1828

Дар напрасный, дар случайный…

Дар напрасный, дар случайный,
Жизнь, зачем ты мне дана?
Иль зачем судьбою тайной
Ты на казнь осуждена?

Кто меня враждебной властью
Из ничтожества воззвал,
Душу мне наполнил страстью,
Ум сомненьем взволновал?..

Цели нет передо мною:
Сердце пусто, празден ум,
И томит меня тоскою
Однозвучный жизни шум.

1828 г.

A gift vain, a gift accidental...

A gift vain, a gift accidental,
Life, what for you to me are given?
Or what for by the fate secret
You to execution are sentenced?

Who me by hostile power
Out of nothingness has called,
The soul to me has filled with passion,
The mind with doubt has agitated? ...

The aim /there is/ no in front of me:
The heart is empty, is idle the mind,
And is wearing me with anguish
Monotonous life's noise.

1828

Цветок

Цветок засохший, безуханный,
Забытый в книге вижу я;
И вот уже мечтою странной
Душа наполнилась моя:

Где цвёл? когда? какой весною?
И долго ль цвёл? И сорван кем,
Чужой, знакомой ли рукою?
И положён сюда зачем?

На память нежного ль свиданья,
Или разлуки роковой,
Иль одинокого гулянья
В тиши полей, в тени лесной?

И жив ли тот, и та жива ли?
И нынче где их уголок?
Или уже они увяли,
Как сей неведомый цветок?

1828

Flower

The flower dried, odourless
Forgotten in the book am seeing I;
And here already with a dream weird
The soul has filled mine:

Where bloomed? When? Which spring?
And long whether bloomed? And torn by whom,
Alien, familiar whether hand?
And put here what for?

For the memory of tender whether date,
Or parting doomed,
Or lonely walking
In the quietness of the fields, in the shade wood?

And alive whether that /he/ and that /she/ is alive whether?
And now where their corner /is/?
Or already they have faded,
Like this unbeknownst flower?

1828

На холмах Грузии лежит ночная мгла...

На холмах Грузии лежит ночная мгла;
Шумит Арагва предо мною.
Мне грустно и легко; печаль моя светла;
Печаль моя полна тобою,
Тобой, одной тобой... Унынья моего
Ничто не мучит, не тревожит,
И сердце вновь горит и любит — оттого,
Что не любить оно не может.

1829

On the hills of Georgia is lying night mist

On the hills of Georgia is lying night mist;
Is blustering the Aragvi in front of me.
To me is sad and light: the sorrow of mine is light;
The sorrow of mine is full of you,
With you, one you... Despondency of mine
Nothing is not tormenting, is not disturbing,
And the heart again is burning and is loving – from that,
That not to love it cannot.

1829

Брожу ли я вдоль улиц шумных…

Брожу ли я вдоль улиц шумных,
Вхожу ль во многолюдный храм,
Сижу ль меж юношей безумных,
Я предаюсь моим мечтам.

Я говорю: промчатся годы,
И сколько здесь ни видно нас,
Мы все сойдём под вечны своды —
И чей-нибудь уж близок час.

Гляжу ль на дуб уединенный,
Я мыслю: патриарх лесов
Переживёт мой век забвенный,
Как пережил он век отцов.

Младенца ль милого ласкаю,
Уже я думаю: прости!
Тебе я место уступаю:
Мне время тлеть, тебе цвести.

День каждый, каждую годину
Привык я думой провождать,
Грядущей смерти годовщину
Меж их стараясь угадать.

Am wandering whether I along the streets noisy...

Am wandering whether I along the streets noisy,
Am coming whether I into the crowded temple,
Am sitting whether among the youths mad,
I am indulging in my dreams.

I say: will rush the years,
And however much here is not seen us,
We all will step down under the eternal vaults –
And somebody's already is close the hour.

Am looking whether I at the oak lonely,
I am thinking: the patriarch of the woods
Will outlive my age forgotten,
Like outlived he the age of fathers.

An infant whether cute am caressing,
Already I am thinking: forgive!
To you I the seat am yielding:
To me /it's/ time to smolder, to you – to blossom.

Day every, every year
Am used I with thought to see off,
Of the forthcoming death the anniversary
Among them trying to guess.

И где мне смерть пошлёт судьбина?
В бою ли, в странствии, в волнах?
Или соседняя долина
Мой примет охладелый прах?

И хоть бесчувственному телу
Равно повсюду истлевать,
Но ближе к милому пределу
Мне все б хотелось почивать.

И пусть у гробового входа
Младая будет жизнь играть,
И равнодушная природа
Красою вечною сиять.

1829 г.

And where to me death will send the fate?
In a battle whether, in wandering, in the waves?
Or the neighbourhood valley
My will accept cooled ashes?

And though to the senseless body
Equally everywhere to smolder,
But closer to the sweet precinct
To me all would want to pass away.

And let at the coffin's entrance
Young will life be playing,
And indifferent nature
With beauty eternal be shining.

1829

Воспоминания в Царском селе

Воспоминаньями смущенный,
Исполнен сладкою тоской,
Сады прекрасные, под сумрак ваш священный
Вхожу с поникшею главой.
Так отрок Библии, безумный расточитель,
До капли истощив раскаянья фиал,
Увидев наконец родимую обитель,
Главой поник и зарыдал.

В пылу восторгов скоротечных,
В бесплодном вихре суеты,
О, много расточил сокровищ я сердечных
За недоступные мечты,
И долго я блуждал, и часто, утомленный,
Раскаяньем горя, предчувствуя беды,
Я думал о тебе, предел благословенный,
Воображал сии сады.

Воображал сей день счастливый,
Когда средь вас возник Лицей,
И слышу наших игр я снова шум игривый
И вижу вновь семью друзей.
Вновь нежным отроком, то пылким, то ленивым,
Мечтанья смутные в груди моей тая,
Скитаясь по лугам, по рощам молчаливым,
Поэтом забываюсь я.

И въявь я вижу пред собою
Дней прошлых гордые следы.

Reminiscences in Tsarskoye Selo

By reminiscences embarrassed,
Filled with sweet anguish,
Gardens beautiful, under the dusk of your sacred
Am entering with a drooped head.
So an adolescent of the Bible, a mad waster,
To the drop having exhausted of remorse a phial,
Having seen finally the native abode,
With head drooped and burst into sobs.

In the ardor of delights fleeting,
In fruitless whirlwind of the fussing,
Oh, many have wasted treasures I hearty
For inaccessible wishes,
And long I wandered, and often, tired,
With remorse burning, apprehending trouble,
I was thinking about you, the precinct blessed,
Was imagining these gardens.

Was imagining this day happy,
When among us appeared Lyceum,
And hear of our games I again the noise playful
And see again the family of friends.
Again a tender adolescent, then ardent, then lazy,
Dreams vague in the chest of mine hiding,
Wandering over the meadows, over the grooves silent,
By a poet am falling into reverie I.

And in reality I see in front of me
Of the days past proud traces.

Ещё исполнены великою женою,
Её любимые сады
Стоят населены чертогами, вратами,
Столпами, башнями, кумирами богов,
И славой мраморной, и медными хвалами
Екатерининских орлов.

Садятся призраки героев
У посвященных им столпов,
Глядите: вот герой, стеснитель ратных строев,
Перун кагульских берегов
Вот, вот могучий вождь полунощного флага ,
Пред кем морей пожар и плавал и летал.
Вот верный брат его, герой Архипелага,
Вот наваринский Ганнибал.

Среди святых воспоминаний
Я с детских лет здесь возрастал,
А глухо между тем поток народной брани
Уж бесновался и роптал.
Отчизну обняла кровавая забота,
Россия двинулась, и мимо нас волной
Шли тучи конные, брадатая пехота,
И пушек медных светлый строй.

———

. . . .
. . . .
На юных ратников взирали,
Ловили брани дальний звук,
И детские лета и . . . . проклинали
И узы строгие наук.

Still executed by the great wife,
Her favourite gardens
Are standing populated with palaces, gates,
Pillars, towers, idols of gods,
And glory marble, and copper praises
Of Catherine's eagles.

Are sitting down the ghosts of heroes
At dedicated to them pillars,
Look: here /is/ a hero, a constrainer of military formations,
Perun of Cahul banks
Here, here /is/ a powerful chieftain of the midnight flag,
Before whom of the seas fire and swam and flew.
Here /is/ the loyal brother of his, the hero of the Archipelago,
Here /is/ Navarin's Gannibal.

Among sacred reminiscences
I since childhood years here grew up,
And muffled meanwhile the flow of people's vituperation
Already was raging and repining.
Fatherland embraced the bloody care,
Russia moved, and past us in a wave
Were going clouds of horsemen, bearded infantry,
And of cannons copper a light formation.

———

. . . .
. . . .
On young warriors were gazing,
Were catching the battle's distant sound,
And childhood years and… were cursing
And ties strict of sciences.

И многих не пришло. При звуке песней новых
Почили славные в полях Бородина,
На кульмских высотах, в лесах Литвы суровых,
Вблизи Монмартра . . . .

1829

And of many did not come. At the sound of songs new
Reposed glorious in the fields of Borodino,
On Kulm heights, in woods of Lithuania severe,
Close to Montmartre ......

1829

Зимнее утро

Мороз и солнце; день чудесный!
Ещё ты дремлешь, друг прелестный —
Пора, красавица, проснись:
Открой сомкнуты негой взоры
Навстречу северной Авроры,
Звездою севера явись!

Вечор, ты помнишь, вьюга злилась,
На мутном небе мгла носилась;
Луна, как бледное пятно,
Сквозь тучи мрачные желтела,
И ты печальная сидела —
А нынче... погляди в окно:

Под голубыми небесами
Великолепными коврами,
Блестя на солнце, снег лежит;
Прозрачный лес один чернеет,
И ель сквозь иней зеленеет,
И речка подо льдом блестит.

Вся комната янтарным блеском
Озарена. Весёлым треском
Трещит затопленная печь.
Приятно думать у лежанки.
Но знаешь: не велеть ли в санки
Кобылку бурую запречь?

Winter morning

Frost and sun; the day /is/ wonderful!
Still you are dozing, friend lovely –
/It's/ time, belle, wake up:
Open the closed by bliss gazes
Towards the northern Aurora,
As a star of the north appear!

In the evening, you remember, the snowstorm was raging,
Upon the turbid sky the mist was rushing;
The moon, like a pale spot,
Through clouds gloomy was yellowing,
And you sorrowful were sitting –
And now… look into the window:

Under the blue skies
In gorgeous carpets,
Sparkling in the sun, the snow is lying;
Transparent wood one is blackening,
And a fir-tree through the hoar is greening,
And a river under ice is glistening.

All room with amber glitter
Is illuminated. With merry crackle
Is spluttering the lit stove.
/It's/ pleasant to be thinking at the stove-bench.
But /you/ know: not to order whether into the sleigh
A mare brown to harness?

Скользя по утреннему снегу,
Друг милый, предадимся бегу
Нетерпеливого коня
И навестим поля пустые,
Леса, недавно столь густые,
И берег, милый для меня.

1829

Sliding over the morning snow,
Friend sweet, indulge into running
Of an impatient horse
And will visit fields empty,
Woods, recently so dense,
And a bank, sweet for me.

1829

Я вас любил: любовь ещё, быть может…

Я вас любил: любовь ещё, быть может,
В душе моей угасла не совсем;
Но пусть она вас больше не тревожит;
Я не хочу печалить вас ничем.
Я вас любил безмолвно, безнадёжно,
То робостью, то ревностью томим;
Я вас любил так искренно, так нежно,
Как дай вам бог любимой быть другим.

1830

I you loved: love still, be may...

I you loved: love still, be may
In the soul of mine has faded not entirely;
But let it you anymore not disturb;
I do not want to grieve you by nothing.
I you loved silently, hopelessly,
Then by timidity, then by jealousy wearied;
I you loved, as sincerely, as tender,
As let you god loved be by another.

1830

Когда в объятия мо*и*...

Когда в объятия мои
Твой стройный стан я заключаю
И речи нежные любви
Тебе с восторгом расточаю,
Безмолвна, от стеснённых рук
Освобождая стан свой гибкой,
Ты отвечаешь, милый друг,
Мне недоверчивой улыбкой;
Прилежно в памяти храня
Измен печальные преданья,
Ты без участья и вниманья
Уныло слушаешь меня...
Кляну коварные старанья
Преступной юности моей
И встреч условных ожиданья
В садах, в безмолвии ночей.
Кляну речей любовный шёпот,
Стихов таинственный напев,
И ласки легковерных дев,
И слёзы их, и поздний ропот.

<1830>

When in embraces of mine...

When in embraces of mine
Your slender waist I enclose
And speeches tender of love
To you with delight am lavishing,
Silent, from the constrained arms,
Releasing waist of yours lithe,
You are answering, sweet friend,
To me with a distrustful smile;
Diligently in the memory keeping
Of adulteries sorrowful legends,
You without concern and attention
Dismally are listening to me...
Am cursing insidious efforts
Of criminal youth of mine
And of meetings agreed waiting
In gardens, in the silence of nights.
Am cursing of speeches amorous whisper,
Of poems mysterious tune,
And caresses of gullible maidens
And tears of theirs, and late grumble.

<1830>

Что в имени тебе моём

Что в имени тебе моём?
Оно умрёт, как шум печальный
Волны, плеснувшей в берег дальный,
Как звук ночной в лесу глухом.
Оно на памятном листке
Оставит мёртвый след, подобный
Узору надписи надгробной
На непонятном языке.
Что в нем? Забытое давно
В волненьях новых и мятежных,
Твоей душе не даст оно
Воспоминаний чистых, нежных.
Но в день печали, в тишине,
Произнеси его тоскуя;
Скажи: есть память обо мне,
Есть в мире сердце, где живу я…

1830

What in the name to you of mine

What in the name to you of mine?
It will die like the noise sorrowful
Of the wave, splashing into the shore distant,
Like a sound night in the wood dense.
It on the commemorative sheet
Will leave a dead trace, similar
To the pattern of an inscription graveside
In incomprehensible language.
What /is/ in it? Forgotten long
In agitations new and rebellious,
To your soul will not give it
Reminiscences pure, tender.
But on the day of sorrow, in silence,
Pronounce it, yearning;
Say: /there/ is memory of me,
/There/ is in the world a heart where live I…

1830

Прощание

В последний раз твой образ милый
Дерзаю мысленно ласкать,
Будить мечту сердечной силой
И с негой робкой и унылой
Твою любовь воспоминать.
Бегут, меняясь, наши лета,
Меняя все, меняя нас,
Уж ты для своего поэта
Могильным сумраком одета,
И для тебя твой друг угас.
Прими же, дальная подруга,
Прощанье сердца моего,
Как овдовевшая супруга,
Как друг, обнявший молча друга
Пред заточением его.

1830

Farewell

The last time your image sweet
Am daring in thoughts to caress,
To awaken a dream by hearty strength
And with bliss timid and sullen
Your love to remember.
Are running, changing, our years,
Changing all, changing us,
Already you for your poet
With grave dusk are dressed,
And for you your friend has faded.
Accept then, far girlfriend,
Farewell of the heart of mine,
Like a widowed spouse,
Like a friend, having embraced silently a friend
Before the imprisonment of his.

1830

Заклинание

О, если правда, что в ночи,
Когда покоятся живые,
И с неба лунные лучи
Скользят на камни гробовые,
О, если правда, что тогда
Пустеют тихие могилы, —
Я тень зову, я жду Леилы:
Ко мне, мой друг, сюда, сюда!

Явись, возлюбленная тень,
Как ты была перед разлукой,
Бледна, хладна, как зимний день,
Искажена последней мукой.
Приди, как дальная звезда,
Как лёгкой звук иль дуновенье,
Иль как ужасное виденье,
Мне все равно, сюда! сюда!..

Зову тебя не для того,
Чтоб укорять людей, чья злоба
Убила друга моего,
Иль чтоб изведать тайны гроба,
Не для того, что иногда
Сомненьем мучусь... но, тоскуя,
Хочу сказать, что все люблю я,
Что все я твой: сюда, сюда!

1830

Spell

Oh, if the truth that in the night,
When are resting the alive,
And from the sky the moon lights
Are sliding upon the stones grave,
Oh, if the truth that then
Are emptying quiet graves, –
I shadow am calling, I am waiting for Leila:
To me, my friend, here, here!
Appear, beloved shadow,
As you were before the parting,
Pale, cold, like a winter day,
Distorted by the last torment.
Come as a distant star,
As a light sound or a whiff,
Or as a horrible vision,
To me all is equal, here! here! …
Am calling you not for that,
To reproach people, whose malice
Has killed the friend of mine,
Or to learn the secrets of the coffin,
Not for that, that sometimes
With doubt am tormenting… but, missing,
Want to say that still love I
That still I /am/ yours: here, here!

1830

Нет, я не дорожу мятежным наслажденьем...

Нет, я не дорожу мятежным наслажденьем,
Восторгом чувственным, безумством, исступленьем,
Стенаньем, криками вакханки молодой,
Когда, виясь в моих объятиях змией,
Порывом пылких ласк и язвою лобзаний
Она торопит миг последних содроганий!
О, как милее ты, смиренница моя!
О, как мучительно тобою счастлив я,
Когда, склоняяся на долгие моленья,
Ты предаёшься мне нежна без упоенья,
Стыдливо-холодна, восторгу моему
Едва ответствуешь, не внемлешь ничему
И оживляешься потом все боле, боле —
И делишь наконец мой пламень поневоле!

1830

No, I do not value rebellious enjoyment...

No, I do not value rebellious enjoyment,
Delight sensual, madness, ecstasy,
Groaning, screams of a Bacchante young,
When, weaving in my embraces as a snake,
With a gust of ardent caresses and the ulcer of kisses
She is hurrying the moment of final shudders!
Oh, how sweeter /are/ you, a humble girl of mine!
Oh, how poignantly by you am happy I,
When, having bent for long implorations,
You are indulging to me tender without rapture,
Shamefully-cold, to the delight of mine
Hardly are answering, are not harking to nothing
And are reviving then still more and more –
And are sharing finally my flame unwillingly!

1830

Поэту

Поэт! не дорожи любовию народной.
Восторженных похвал пройдёт минутный шум;
Услышишь суд глупца и смех толпы холодной,
Но ты останься тверд, спокоен и угрюм.

Ты царь: живи один. Дорогою свободной
Иди, куда влечёт тебя свободный ум,
Усовершенствуя плоды любимых дум,
Не требуя наград за подвиг благородный.

Они в самом тебе. Ты сам свой высший суд;
Всех строже оценить умеешь ты свой труд.
Ты им доволен ли, взыскательный художник?

Доволен? Так пускай толпа его бранит
И плюет на алтарь, где твой огонь горит,
И в детской резвости колеблет твой треножник.

1830

To the poet

A poet! Value the love people's.
Of enthusiastic praises will pass a minute's noise;
Will hear the judgment of a fool and laughter of a crowd cold,
But you remain firm, calm and sullen.

You /are/ a tsar: live alone. By the road free
Go, where is attracting you a free mind,
Refining the fruits of favourite thoughts,
Not demanding awards for the deed noble.

They /are/ in yourself you. You /are/ yourself your highest court.
Of all stricter to evaluate can you your labour.
You by him are pleased whether, an exacting artist?

Are pleased? So let the crowd him curse,
And spit on the altar, where your fire is burning,
And in childish friskiness is swaying your tripod.

1830

Элегия (Безумных лет угасшее веселье...)

Безумных лет угасшее веселье
Мне тяжело, как смутное похмелье.
Но, как вино — печаль минувших дней
В моей душе чем старе, тем сильней.
Мой путь уныл. Сулит мне труд и горе
Грядущего волнуемое море.

Но не хочу, о други, умирать;
Я жить хочу, чтоб мыслить и страдать;
И ведаю, мне будут наслажденья
Меж горестей, забот и треволненья:
Порой опять гармонией упьюсь,
Над вымыслом слезами обольюсь,
И может быть — на мой закат печальный
Блеснёт любовь улыбкою прощальной.

1830 г.

Elegy (Of mad years faded fun...)

Of mad years faded fun
To me is hard, like a blurred hangover.
But, like wine – the sorrow of bygone days
In my soul the older, the stronger.
My way is sullen. Is promising me labour and grieve
Of the forthcoming the stormy sea.

But do not want, oh, friends, to die;
I to live want, in order to think and suffer;
And wit to me will be enjoyments
Among afflictions, cares and agitations
At times again with harmony will revel,
Over the fiction with tears will douse,
And maybe – upon my dawn sorrowful
Will sparkle love with a smile parting.

1830

Стихи, сочинённые ночью во время бессонницы

Мне не спится, нет огня;
Всюду мрак и сон докучный.
Ход часов лишь однозвучный
Раздаётся близ меня,
Парки бабье лепетанье,
Спящей ночи трепетанье,
Жизни мышья беготня…
Что тревожишь ты меня?
Что ты значишь, скучный шёпот?
Укоризна или ропот
Мной утраченного дня?
От меня чего ты хочешь?
Ты зовёшь или пророчишь?
Я понять тебя хочу,
Смысла я в тебе ищу…

1830 г.

Poems written at night in the time of insomnia

To me doesn't sleep, /there is/ no fire;
Everywhere is darkness and sleep irksome.
The running of the clock only single-sounded
Is resounding close to me,
Parcae's womanish babbling
Of a sleeping night fluttering,
Of life mouse's scurry…
What are disturbing you me?
What do you mean, boring whisper?
Reproach or grumble
Of by me lost day?
From me what do you want?
You are calling or are prophesying?
I to understand you want,
For meaning I in you am searching…

1830

Царскосельская статуя

Урну с водой уронив, об утёс её дева разбила.
Дева печально сидит, праздный держа черепок.
Чудо! не сякнет вода, изливаясь из урны разбито
Дева, над вечной струёй, вечно печальна сидит.

1830 г.

Of Tsarskoye Selo a statue

An urn with water having dropped, at the cliff her a maiden has broken.
The maiden sorrowfully is sitting, an idle holding crock.
Miracle! Is not drying out water, pouring out from the urn broken
The maiden, over the eternal stream, eternally sorrowful is sitting.

1830

Моя родословная

Смеясь жестоко над собратом,
Писаки русские толпой
Меня зовут аристократом:
Смотри, пожалуй, вздор какой!
Не офицер я, не асессор,
Я по кресту не дворянин,
Не академик, не профессор;
Я просто русский мещанин.

Понятна мне времён превратность,
Не прекословлю, право, ей:
У нас нова рожденьем знатность,
И чем новее, тем знатней!.
Родов дряхлеющих обломок
(И по несчастью, не один),
Бояр старинных я потомок;
Я, братцы, мелкий мещанин.

Не торговал мой дед блинами,
Не ваксил царских сапогов,
Не пел с придворными дьячками,
В князья не прыгал из хохлов,
И не был беглым он солдатом
Австрийских пудреных дружин;
Так мне ли быть аристократом?
Я, слава богу, мещанин.

Мой предок Рача мышцей бранной
Святому Невскому служил;

My pedigree

Laughing cruelly at the congener,
Scribblers Russian in a crowd
Me are calling an aristocrat:
Look, perhaps, nonsense how!
Not an officer /am/ I, not an assessor;
I /am/ by cross not a nobleman,
Not an academic, not a professor;
I simply /am/ Russian bourgeouis.

Is understandable to me of times vicissitude,
Do not contradict, indeed, to her:
At us is new by birth gentlehood,
And the newer, the nobler!
Of kins a decrepitating shatter
(And by misfortune, not alone),
Of boyars ancient I am a descendant;
I, brothers, /am/ a petty bourgeouis.

Did not trade my grandfather pancakes,
Did not wax tsar's high-boots,
Did not sing with court sextons,
Into princes did not jump from the Ukrainians.
And was not fugitive he soldier
Of Austrian powdered armed forces;
So to me whether to be an aristocrat?
I, thank god, /am/ a bourgeouis.

My ancestor Racha with a muscle battle
To sacred Nevskiy served;

Его потомство гнев венчанный,
Иван IV пощадил.
Водились Пушкины с царями;
Из них был славен не один,
Когда тягался с поляками
Нижегородский мещанин.

Смирив крамолу и коварство
И ярость бранных непогод,
Когда **Романовых** на царство
Звал в грамоте своей народ,
Мы к оной руку приложили,
Нас жаловал страдальца сын.
Бывало, нами дорожили;
Бывало… по — я мещанин.

Упрямства дух нам всем подгадил:
В родню свою неукротим,
С Петром мой пращур не поладил
И был за то повешен им.
Его пример будь нам наукой:
Не любит споров властелин.
Счастлив князь **Я**ков Долгорукой,
Умён покорный мещанин.

Мой дед, когда мятеж поднялся
Средь петергофского двора,
Как Миних, верен оставался
Паденью третьего Петра.
Попали в честь тогда Орловы,
А дед мой в крепость, в карантин.

His progeny the wrath crowned,
Ivan IV spared.
Associated the Pushkins were with tsars;
From them was glorious not one,
When was measuring swords with the Poles
Nizhegorodskiy bourgeouis.

Having subdued the sedition and craftiness
And fury of battle foul weathers,
When the Romanovs for coronation
Was calling in the charter of theirs the people,
We to that a hand set,
Us favoured the sufferer's son.
Used to be, us treasured;
Used to be...at – I /am/ a bourgeouis.

Of stubbornness spirit to us all played a dirty trick:
Into the kinsfolk of his indomitable,
With Peter my primogenitor did not get on
And was for that hung by him.
His example be to us a science:
Does not like arguments the lord.
Happy /is/ prince Yakov Dolgorukiy,
Clever /is/ obedient bourgeouis.

My grandfather, when the mutiny rose
Among the Peterhof court,
Like Munnich loyal was remaining
To the fall of the third Peter.
Hit the honour then the Orlovs,
And grandfather of mine into the fortress, in the quarantine.

И присмирел наш род суровый,
И я родился мещанин.

Под гербовой моей печатью
Я кипу грамот схоронил
И не якшаюсь с новой знатью,
И крови спесь угомонил.
Я грамотей и стихотворец,
Я Пушкин просто, не Мусин,
Я не богач, не царедворец,
Я сам большой: я мещанин.

Post scriptum

Решил Фиглярин, сидя дома,
Что чёрный дед мой Ганнибал
Был куплен за бутылку рома
И в руки шкиперу попал.

Сей шкипер был тот шкипер славный,
Кем наша двигнулась земля,
Кто придал мощно бег державный
Рулю родного корабля.

Сей шкипер деду был доступен,
И сходно купленный арап
Возрос усерден, неподкупен,
Царю наперсник, а не раб.

И был отец он Ганнибала,
Пред кем средь чесменских пучин

And grew humble our kin harsh,
And I was born a bourgeouis.

Under the official my seal
I a pile of charters have buried
And do not hobnob with the new nobility,
And of blood the arrogance have calmed.
I /am/ a scribe and a verse maker,
I /am/ Pushkin simply, not Musin,
I /am/ not a rich man, not a courtier,
I myself /am/ big: I /am/ a bourgeouis.

Post scriptum

Decided Figlyarin, sitting at home,
That the black grandfather of mine Gannibal
Was bought for a bottle of rum
And in the hands of a skipper fell.

This skipper was that skipper glorious,
By whom our moved Earth,
Who imparted mightily the running sovereign
To the wheel of a native ship.

This skipper to the grandfather was available,
And a similarly bought blackamoor
Grew up diligent, incorrupt,
To the tsar a confidant, but not a slave.

And was a father he of Gannibal,
In front of him among the Cesme abysses

Громада кораблей вспылала,
И пал впервые Наварин.

Решил Фиглярин вдохновенный:
Я во дворянстве мещанин.
Что ж он в семье своей почтенной?
Он?.. он в Мещанской дворянин.

1830 г.

A mass of ships flared up,
And fell for the first time Navarin.

Decided Figlyarin inspired:
I am in nobility a bourgeouis.
What is he in family of his venerable?
He? … he in Meshchanskaya is a nobleman.

1830

Сказка о попе и его работнике Балде

Жил-был поп,

Толоконный лоб.

Пошёл поп по базару

Посмотреть кой-какого товару.

Навстречу ему Балда

Идёт, сам не зная куда.

"Что, батько, так рано поднялся?

Чего ты взыскался?"

Поп ему в ответ: "Нужен мне работник:

Повар, конюх и плотник.

А где найти мне такого

Служителя не слишком дорогого?"

Балда говорит: "Буду служить тебе славно,

Усердно и очень исправно,

В год за три щелка тебе по лбу,

Есть же мне давай варёную полбу".

Призадумался поп,

Стал себе почёсывать лоб.

Щелк щёлку ведь розь.

Да понадеялся он на русский авось.

Поп говорит Балде: "Ладно.

Не будет нам обоим накладно.

Поживи-ка на моём подворье,

Покажи своё усердие и проворье".

Живёт Балда в поповом доме,

Спит себе на соломе,

Ест за четверых,

Работает за семерых;

A fairy tale about a priest and his worker Blockhead /Balda/

Lived-was a priest,

A blockhead forehead.

Went the priest at the market

To look for some-what goods.

Towards him Blockhead

Is going, himself not knowing where.

"What, daddy, so early you got up?

What have you started to look for?"

The priest to him in reply: "Is needed to me a worker:

A cook, a groom and a carpenter.

And where to find me such

A servant not too expensive?"

Blockhead says, "Will serve you nicely,

Diligently and very duly,

Per year for three fillips to you on the forehead,

To eat then to me give boiled spelt."

Hesitated the priest,

Began to himself to scratch the forehead.

A fillip to a fillip is indeed different.

And hoped he for Russian off-chance.

The priest says to Blockhead, "Okay.

Will not be to us both wasteful.

Live then on my church-in-town,

Show your diligence and agility."

Is living Blockhead in the priest's house,

Is sleeping himself on straw,

Is eating for four,

Is working for seven;

До светла всё у него пляшет,

Лошадь запряжёт, полосу вспашет,

Печь затопит, всё заготовит, закупит,

Яичко испечёт да сам и облупит.

Попадья Балдой не нахвалится,

Поповна о Балде лишь и печалится,

Попёнок зовёт его тятей;

Кашу заварит, нянчится с дитятей.

Только поп один Балду не любит,

Никогда его не приголубит,

О расплате думает частенько;

Время идёт, и срок уж близенько.

Поп ни ест, ни пьёт, ночи не спит:

Лоб у него заране трещит.

Вот он попадье признаётся:

"Так и так: что делать остаётся?"

Ум у бабы догадлив,

На всякие хитрости повадлив.

Попадья говорит: "Знаю средство,

Как удалить от нас такое бедство:

Закажи Балде службу, чтоб стало ему невмочь;

А требуй, чтоб он её исполнил точь-в-точь.

Тем ты и лоб от расправы избавишь

И Балду-то без расплаты отправишь".

Стало на сердце попа веселее,

Начал он глядеть на Балду посмелее.

Вот он кричит: "Поди-ка сюда,

Верный мой работник Балда.

Слушай: платить обязались черти

Мне оброк по самой моей смерти;

Лучшего б не надобно дохода,

Until light all at him is dancing,
The horse will harness, a patch will plough,
A stove will light, all will prepare, will buy,
An egg will bake, and himself will shell.
The priest's wife Blockhead will not praise /enough/,
The priest's daughter about Blockhead only and is grieving,
The priest's son is calling him daddy;
The porridge will brew, is nursing the baby.
Only the priest alone Blockhead does not love,
Never him will not fondle,
About reckoning thinks often;
The time is going, and the deadline is already very close.
The priest does not eat, does not drink, the night does not sleep:
The forehead at him is beforehand crackling.
Here he to the priest's wife confesses:
"So and so: what to do is left?"
The mind at a woman is quick-witted
For various tricks is habitual.
The priest's wife says: "Know the means,
How to delete from us such trouble:
Order to Blockhead service in order to become for him unbearable;
And demand so that he it executed to a tag.
By that you and forehead from reprisal will rid
And Blockhead-then without payment will send."
Became on the heart of the priest merrier,
Began he to look at Blockhead bolder.
Here he is shouting, "Come-then here,
Loyal my worker Blockhead.
Listen: to pay obliged the imps
To me a quitrent until the very my death;
Better would not need income,

Да есть на них недоимки за три года.

Как наешься ты своей полбы,

Собери-ка с чертей оброк мне полный".

Балда, с попом понапрасну не споря,

Пошёл, сел у берега моря;

Там он стал верёвку крутить

Да конец её в море мочить.

Вот из моря вылез старый Бес:

"Зачем ты, Балда, к нам залез?"

        — "Да вот верёвкой хочу море морщить

Да вас, проклятое племя, корчить",

Беса старого взяла тут унылость.

"Скажи, за что такая немилость?"

        — "Как за что? Вы не плотите оброка,

Не помните положенного срока;

Вот ужо будет нам потеха,

Вам, собакам, великая помеха".

        — "Балдушка, погоди ты морщить море,

Оброк сполна ты получишь вскоре.

Погоди, вышлю к тебе внука".

Балда мыслит: "Этого провести не штука!"

Вынырнул подосланный бесёнок,

Замяукал он, как голодный котёнок:

"Здравствуй, Балда-мужичок;

Какой тебе надобен оброк?

Об оброке век мы не слыхали,

Не было чертям такой печали.

Ну, так и быть — возьми, да с уговору,

С общего нашего приговору —

Чтобы впредь не было никому горя:

Кто скорее из нас обежит около моря,

But there /are/ on them arrears for three years.
As eat a fill you of your spelt,
Gather-then from the devils the quitrent to me full."
Blockhead with the priest in vain not arguing,
Went, sat by the shore of the sea;
There he began a rope to twist
And the end of hers in the sea to wet.
Here out of the sea crawled out an old Imp,
"What for you, Blockhead, to us have crept?"
    — "And here by the rope want the sea to wrinkle
And you, the damned tribe, to writhe,"
The Imp old took here despondency.
"Say, for what such disfavour?"
    — "How for what? You are not paying the quitrent,
Do not remember the due deadline;
Here already will be to us fun,
To you, the dogs, a great hindrance!"
    — "Blockheadie, wait-then to wrinkle the sea,
The quitrent fully you will get soon.
Wait, will send to you a grandson."
Blockhead is thinking, "This to cheat not a trick!"
Dived out the sent little imp,
Meowed he like a hungry kitten,
"Hello, Blockhead-man;
Which to you is needed a quitrent?
About the quitrent we for a century have not heard,
Was not to the devils such sorrow.
Well, so and to be – take, and from the agreement,
From common our sentence –
So that henceforth was not to nobody grief:
Who sooner of us will run around near the sea,

Тот и бери себе полный оброк,

Между тем там приготовят мешок".

Засмеялся Балда лукаво:

"Что ты это выдумал, право?

Где тебе тягаться со мною,

Со мною, с самим Балдою?

Экого послали супостата!

Подожди-ка моего меньшего брата".

Пошёл Балда в ближний лесок,

Поймал двух зайков да в мешок.

К морю опять он приходит,

У моря бесёнка находит.

Держит Балда за уши одного зайку:

"Попляши-ка ты под нашу балалайку;

Ты, бесёнок, еще молодёнек,

Со мною тягаться слабёнек;

Это было б лишь времени трата.

Обгони-ка сперва моего брата.

Раз, два, три! догоняй-ка".

Пустились бесёнок и зайка:

Бесёнок по берегу морскому,

А зайка в лесок до дому.

Вот, море кругом обежавши,

Высунув язык, мордку поднявши,

Прибежал бесёнок задыхаясь,

Весь мокрёшенек, лапкой утираясь,

Мысля: дело с Балдою сладит.

Глядь — а Балда братца гладит,

Приговаривая: "Братец мой любимый,

Устал, бедняжка! отдохни, родимый".

Бесёнок оторопел,

That and take himself the full quitrent,
Meanwhile there will prepare a sack."
Laughed Blockhead slyly,
"What this you have made up, indeed?
Where for you to compete with me,
With me, with himself Blockhead?
Such have sent a foe!
Wait-then for my younger brother."
Went Blockhead to the nearest forest,
Caught two hares and into the sack.
To the sea again he comes,
By the sea the little imp finds.
Holds Blockhead by the ears one hare,
"Dance-then you to our balalaika;
You, the little imp, /are/ still young,
With me to compete /are/ weak;
This have been would only of time a waste.
Outrun-then, first, my brother.
One, two, three! Catch up-then."
Set off the little imp and the hare:
The little imp across the bottom marine,
And the hare into the forest to the house.
Here, the sea around having run,
Having stuck out a tongue, the muzzle having raised,
Ran the little imp suffocating,
All wet, with the paw wiping self,
Thinking: business with Blockhead will cope.
Looks – and Blockhead the brother is stroking,
Muttering, "Brother my beloved,
Are tired, poor thing! Rest, dear."
The little imp is dumbfounded,

Хвостик поджал, совсем присмирел,

На братца поглядывает боком.

"Погоди,— говорит,— схожу за оброком"

Пошёл к деду, говорит: "Беда!

Обогнал меня меньшой Балда!"

Старый Бес стал тут думать думу,

А Балда наделал такого шуму,

Что всё море смутилось

И волнами так и расходилось.

Вылез бесёнок: "Полно, мужичок,

Вышлем тебе весь оброк —

Только слушай. Видишь ты палку эту?

Выбери себе любимую мету.

Кто далее палку бросит,

Тот пускай и оброк уносит.

Что ж? боишься вывихнуть ручки?

Чего ты ждешь?" — "Да жду вон этой тучки:

Зашвырну туда твою палку,

Да и начну с вами, чертями, свалку".

Испугался бесёнок да к деду,

Рассказывать про Балдову победу,

А Балда над морем опять шумит

Да чертям верёвкой грозит.

Вылез опять бесёнок: "Что ты хлопочешь?

Будет тебе оброк, коли захочешь…"

    — "Нет,— говорит Балда,—

Теперь моя череда,

Условия сам назначу,

Задам тебе, вражёнок, задачу.

Посмотрим, какова у тебя сила.

Видишь: там сивая кобыла?

The tail drew in, entirely grew quiet,
At the brother is glancing sideways.
"Wait, – says, – will go for the quitrent"
Went to grandfather, says, "Trouble!
Outran me younger Blockhead!"
The Old Imp began here to think a thought,
And Blockhead made such noise,
That all the sea was confused
And with waves so and diverged.
Crawled out the little imp, "Enough, the little man,
Will send you all the quitrent –
Only listen. See you stick this?
Choose yourself a favourite aim.
Who further the stick will throw,
That let and the quitrent carries.
What-then? Afraid to disjoint the arms?
What you are waiting for?" – "And am waiting there this storm-cloud:
Will throw there your stick,
And will begin with you, devils, a melee."
Got scared the imp and to grandfather
To say about Blockhead's victory,
And Blockhead over the sea again is clamouring
And to devils with the rope is threatening.
Crawled out again the little imp, "What you are bustling?
Will be to you the quitrent if will want…"
    –   "No, – says Blockhead, –
Now is my turn,
Conditions myself will appoint,
Will assign to you, the enemy, a task.
Will see, what at you is the strength.
See: there is an ash-grey mare?

Кобылу подыми-ка ты,

Да неси её полверсты;

Снесёшь кобылу, оброк уж твой;

Не снесёшь кобылы, ан будет он мой".

Бедненький бес

Под кобылу подлез,

Понатужился,

Понапружился,

Приподнял кобылу, два шага шагнул,

На третьем упал, ножки протянул.

А Балда ему: "Глупый ты бес,

Куда ж ты за нами полез?

И руками-то снести не смог,

А я, смотри, снесу промеж ног".

Сел Балда на кобылку верхом

Да версту проскакал, так что пыль столбом.

Испугался бесёнок и к деду

Пошёл рассказывать про такую победу.

Черти стали в кружок,

Делать нечего — собрали полный оброк

Да на Балду взвалили мешок.

Идёт Балда, покрякивает,

А поп, завидя Балду, вскакивает,

За попадью прячется,

Со страху корячится.

Балда его тут отыскал,

Отдал оброк, платы требовать стал.

Бедный поп

Подставил лоб:

С первого щелка

Прыгнул поп до потолка;

The mare lift-then you,

And carry her half a verst;

Will carry the mare, the quitrent already /is/ yours;

Will not carry the mare, then will be he mine."

The poor little imp

Under the mare crawled,

Heaved,

Strained,

Lifted up the mare, two steps walked,

On the third fell down, legs stretched.

And Blockhead to him, "Silly you imp,

Where you after us crawled?

And with the arms-then carry not could,

And I, look, will carry between legs."

Sat Blockhead on the mare on horseback

And the verst galloped so that the dust in a pillar.

Got scared the imp and to grandfather

Went to say about such victory.

Devils stood in a circle,

To do is nothing – gathered full quitrent

And on Blockhead heaved the sack.

Goes Blockhead, now and then quacks,

And the priest, having seen Blockhead, jumps up,

Behind the priest's wife hides,

From fear writhes.

Blockhead him here found,

Gave the quitrent, payment to demand began.

Poor priest

Held up the forehead:

From the first fillip

Jumped the priest to the ceiling;

Со второго щелка
Лишился поп языка^
А с третьего щелка
Вышибло ум у старика.
А Балда приговаривал с укоризной:
"Не гонялся бы ты, поп, за дешевизной".

1831 г.

From the second fillip
Lost the priest tongue;
And from the third fillip
Knocked out the mind at the old man.
And Blockhead was repeating with reproach,
"Not have chased would you, the priest, after cheapness."

1831

Бородинская годовщина

Великий день Бородина
Мы братской тризной поминая,
Твердили: "Шли же племена,
Бедой России угрожая;
Не вся ль Европа тут была?
А чья звезда её вела!..
Но стали ж мы пятою твёрдой
И грудью приняли напор
Племён, послушных воле гордой,
И равен был неравный спор.

И что ж? свой бедственный побег,
Кичась, они забыли ныне;
Забыли русский штык и снег,
Погребший славу их в пустыне.
Знакомый пир их манит вновь —
Хмельна для них славянов кровь;
Но тяжко будет им похмелье;
Но долог будет сон гостей
На тесном, хладном новоселье,
Под злаком северных полей!

Ступайте ж к нам: вас Русь зовёт!
Но знайте, прошеные гости!
Уж Польша вас не поведёт:
Через её шагнёте кости!.."
Сбылось — и в день Бородина
Вновь наши вторглись знамена
В проломы падшей вновь Варшавы;

Borodino anniversary

The great day of Borodino
We with the brotherly funeral feast commemorating,
Were saying, "Were going-then the tribes,
With trouble to Russia threatening;
Not all whether Europe here was?
And whose star her was leading! ...
But stood-then we with the heel firm
And with the chest accepted the pressure
Of tribes, obedient to the will proud,
And equal was unequal argument.

And what-then? Their troublesome escape,
Pluming on, they have forgotten now;
Have forgotten Russian bayonet and snow,
Burying the glory of theirs in the desert.
Familiar feast them is beckoning again –
Intoxicating /is/ for them of the Slavs blood;
And hard will be to them hangover;
But long will be the sleep of guests
At crowded, cold housewarming,
Under the crop of northern fields!

Step-then to us: you Russia is calling!
But know, asked guests!
Already Poland you will not lead:
Over her will step bones! ..."
Has come true – and on the day of Borodino
Again our invaded banners
Into the breaches fallen again Warsaw

И Польша, как бегущий полк,
Во прах бросает стяг кровавый —
И бунт раздавленный умолк.

В боренье падший невредим;
Врагов мы в прахе не топтали;
Мы не напомним ныне им
Того, что старые скрижали
Хранят в преданиях немых;
Мы не сожжём Варшавы их;
Они народной Немезиды
Не узрят гневного лица
И не услышат песнь обиды
От лиры русского певца.

Но вы, мутители палат,
Легкоязычные витии,
Вы, черни бедственный набат,
Клеветники, враги России!
Что взяли вы?.. Ещё ли росс
Больной, расслабленный колосс?
Ещё ли северная слава .
Пустая притча, лживый сон?
Скажите: скоро ль нам Варшава
Предпишет гордый свой закон?

Куда отдвинем строй твердынь?
За Буг, до Ворсклы, до Лимана?
За кем останется Волынь?
За кем наследие Богдана?
Признав мятежные права,

And Poland, like a fleeing regiment,
Into the ashes is throwing a banner bloody –
And riot crashed fell silent.

In fighting the fallen /is/ unharmed;
Enemies we in ashes did not trample;
We will not remind now to them
That, what the old tablets
Are keeping in legends mute;
We will not burn Warsaw theirs;
They of the people's Nemesis
Will not see the furious face
And will not hear the song of offence
From the lyre of Russian singer.

But you, the muddiers of the chambers,
Light-tongued orators,
You, of mob calamitous tocsin,
Slanderers, enemies of Russia!
What took you? … Still whether the Russian /is/
A sick, relaxed colossus?
Still whether the northern glory.
An empty parable, a deceitful dream?
Say: soon whether to us Warsaw
Will enjoin proud its law?

Where will move the formation of strongholds?
Behind the Bug, to the Vorskla, to the Liman?
Behind whom will remain Volyn?
Behind whom the heritage of Bogdan?
Having admitted the rebellious rights,

От нас отторгнется ль Литва?
Наш Киев дряхлый, златоглавый,
Сей пращур русских городов,
Сроднит ли с буйною Варшавой
Святыню всех своих гробов?

Ваш бурный шум и хриплый крик
Смутили ль русского владыку?
Скажите, кто главой поник?
Кому венец: мечу иль крику?
Сильна ли Русь? Война, и мор,
И бунт, и внешних бурь напор
Её, беснуясь, потрясали —
Смотрите ж: все стоит она!
А вкруг её волненья пали —
И Польши участь решена...

Победа! сердцу сладкий час!
Россия! встань и возвышайся!
Греми, восторгов общий глас!..
Но тише, тише раздавайся
Вокруг одра, где он лежит,
Могучий мститель злых обид,
Кто покорил вершины Тавра,
Пред кем смирилась Эрпвапь,
Кому суворовского лавра
Венок сплела тройная брань.

Восстав из гроба своего,
Суворов видит плен Варшавы;
Вострепетала тень его

From us, will tear away whether Lithuania?
Our Kiev decrepit, gold-domed,
This primogenitor of Russian cities,
Will make related whether with riotous Warsaw
The sanctuary of all its coffins?

Your tempestuous noise and hoarse shout
Confused whether Russian lord?
Say, who with head drooped?
To whom the crown: to the sword or scream?
Is strong whether Rus? War, and pestilence,
And mutinee, and of outer storms pressure
Her, raging, were shaking –
Look: all is standing she!
And around her agitations fell –
And of Poland the lot is decided...

A victory! To the heart a sweet hour!
Russia! Stand up and elevate!
Rattle, of delights common voice! ...
But quieter, quieter sound
Around the death-bed where he is lying,
Mighty avenger of evil offences,
Who conquered the peaks of Taurus,
In front of whom submitted Yerevan,
To whom Suvorov's laurel
Wreath weaved triple scolding.

Having risen from the coffin his,
Suvorov sees the capture of Warsaw;
Fluttered up the shadow of his

От блеска им начатой славы!
Благословляет он, герой,
Твоё страданье, твой покой,
Твоих сподвижников отвагу,
И весть триумфа твоего,
И с ней летящего за Прагу
Младого внука своего.

1831 г.

From the shine of by him started glory!
Blesses he, the hero,
Your suffering, your peace,
Your associates' courage,
And the news of the triumph of yours,
And with her flying for Prague
A young grandson of his.

1831

Перед гробницею святой...

Перед гробницею святой
Стою с поникшею главой...
Все спит кругом; одни лампады
Во мраке храма золотят
Столпов гранитные громады
И их знамён нависший ряд.

Под ними спит сей властелин,
Сей идол северных дружин,
Маститый страж страны державной,
Смиритель всех её врагов,
Сей остальной из стаи славной
Екатерининских орлов.

В твоём гробу восторг живёт!
Он русский глас нам издаёт;
Он нам твердит о той године,
Когда народной веры глас
Воззвал к святой твоей седине:
"Иди, спасай!" Ты встал — и спас...

Внемли ж и днесь наш верный глас,
Встань и спасай царя и нас,
О старец грозный! На мгновенье
Явись у двери гробовой,
Явись, вдохни восторг и рвенье
Полкам, оставленным тобой!

In front of the tomb sacred...

In front of the tomb sacred
Am standing with a drooped head...
All is sleeping around; only icon-lampions
In the darkness of the temple are engoldening
Of pillars granite masses
And their banners overhanging row.

Under them is sleeping this lord,
This idol of the northern armed-forces,
A venerable guard of the country sovereign,
A restrainer of all her enemies,
This rest from the pack glorious
Of Catherine's eagles.

In your coffin the delight lives!
He Russian voice to us utters;
He to us is repeating about that year,
When of the people's faith the voice
Called to the sacred your grey hair:
"Go, save!' You stood up and saved...

Hark-then and today to our loyal voice,
Stand up and save the tsar and us,
Oh, the elder formidable! For a moment
Appear at the door coffin,
Appear, breathe in delight and zeal
To regiments, left by you!

Явись и дланию своей
Нам укажи в толпе вождей,
Кто твой наследник, твой избранный!
Но храм — в молчанье погружён,
И тих твоей могилы бранной
Невозмутимый, вечный сон...

1831 г.

Appear and with the arm of yours
To us point in the crowd chieftains,
Who /is/ your heir, your chosen!
But the temple – in silence is immersed,
And quiet /is/ of you grave battle
Imperturbable, eternal sleep…

1831

Клеветникам России

О чем шумите вы, народные витии?
Зачем анафемой грозите вы России?
Что возмутило вас? волнения Литвы?
Оставьте: это спор славян между собою,
Домашний, старый спор, уж взвешенный судьбою,
Вопрос, которого не разрешите вы.

Уже давно между собою
Враждуют эти племена;
Не раз клонилась под грозою
То их, то наша сторона.
Кто устоит в неравном споре:
Кичливый лях иль верный росс?
Славянские ль ручьи сольются в русском море?
Оно ль иссякнет? вот вопрос.

Оставьте нас: вы не читали
Сии кровавые скрижали;
Вам непонятна, вам чужда
Сия семейная вражда;
Для вас безмолвны Кремль и Прага;
Бессмысленно прельщает вас
Борьбы отчаянной отвага —
И ненавидите вы нас…
За что ж? ответствуйте: за то ли,
Что на развалинах пылающей Москвы
Мы не признали наглой воли
Того, под кем дрожали вы?
За то ль, что в бездну повалили

To slanderers of Russia

About what are clamoring you, people's orators?
What for with anathema are threatening you to Russia?
What /made/ indignant you? Agitations of Lithuania?
Leave: this argument of the Slavs between themselves,
House, old argument, already weighed by the fate,
A question, which will not resolve you.

Already long between themselves
Are feuding these tribes;
Not once bent under the terror
Then their, then our side.
Who will withstand in the uneven argument:
A conceited Pole or a loyal Russian?
Slavic whether brooks will merge in Russian sea?
It whether will exhaust? Here /is/ a question.

Leave us: you did not read
These bloody tablets;
To you is incomprehensible, to you is alien
This family feud;
For you are silent the Kremlin and Prague;
Senselessly is enticing you
Of struggle desperate the courage –
And hate you us…
For what-then? Answer: for that whether,
That on the ruins of flaring Moscow
We did not admit impudent will
Of that, under whom trembled you?
For that whether, that in the abyss overturned

Мы тяготеющий над царствами кумир
И нашей кровью искупили
Европы вольность, честь и мир?

Вы грозны на словах — попробуйте на деле!
Иль старый богатырь, покойный на постеле,
Не в силах завинтить свой измаильский штык?
Иль русского царя уже бессильно слово?
Иль нам с Европой спорить ново?
Иль русский от побед отвык?
Иль мало нас? Или от Перми до Тавриды,
От финских хладных скал до пламенной Колхиды,
От потрясённого Кремля
До стен недвижного Китая,
Стальной щетиною сверкая,
Не встанет русская земля?..
Так высылайте ж нам, витии,
Своих озлобленных сыпов:
Есть место им в полях России,
Среди нечуждых им гробов.

1831 г.

We weighing over the kingdoms idol
And with our blood redeemed
Of Europe liberty, honour and peace?

You are formidable upon the words – try upon the action!
Or the old hero, resting on the bed,
Is not in the powers to screw on his Izmail bayonet?
Or Russian tsar's already is powerless the word?
Or to us with Europe to argue is new?
Or the Russian from victories has weaned?
Or few of us? Or from Perm to Taurida,
From Finnish cold rocks to flaming Colchis
From the shaken Kremlin
To the walls of unmovable China,
With steel bristle glistening,
Will not stand up Russian land? ...
So send to us, orators,
Your spiteful sons:
/There/ is a place for them in the fields of Russia,
Among not-alien to them coffins.

1831

К* (Нет, нет, не должен я...)

Нет, нет, не должен я, не смею, не могу
Волнениям любви безумно предаваться;
Спокойствие моё я строго берегу
И сердцу не даю пылать и забываться;
Нет, полно мне любить; но почему ж порой
Не погружуся я в минутное мечтанье,
Когда нечаянно пройдёт передо мной
Младое, чистое, небесное созданье,
Пройдет и скроется?.. Ужель не можно мне,
Любуясь девою в печальном сладострастье,
Глазами следовать за ней и в тишине
Благословлять её на радость и на счастье,
И сердцем ей желать все блага жизни сей,
Весёлый мир души, беспечные досуги,
Все — даже счастие того, кто избран ей,
Кто милой деве даст название супруги.

1832

To* (No, no, must not I...)

No, no, must not I, do not dare, can not
To agitations of love mindlessly indulge;
The calmness of mine I strictly cherish
And to the heart do not let to flare and become oblivious
No, enough to me to love; but why then at time
Will not submerge I in a minute's dreaming,
When accidentally will pass in front of me
A young, pure, divine creature,
Will pass and hide? ... Whether cannot for me,
Admiring the maiden in a sorrowful salacity
With eyes to follow after her and in silence
To bless her for joy and for happiness,
And with the heart to her to wish all goods of life this,
A joyous world of the soul, reckless leisures,
All – even happiness of that, who is chosen for her,
Who to sweet maiden will give the name of a spouse.

1832

"Люблю тебя, Петра творенье" (из поэмы "Медный всадник")

Люблю тебя, Петра творенье,

Люблю твой строгий, стройный вид,

Невы державное теченье,

Береговой ее гранит,

Твоих оград узор чугунный,

Твоих задумчивых ночей

Прозрачный сумрак, блеск безлунный,

Когда я в комнате моей

Пишу, читаю без лампады,

И ясны спящие громады

Пустынных улиц, и светла

Адмиралтейская игла,

И, не пуская тьму ночную

На золотые небеса,

Одна заря сменить другую

Спешит, дав ночи полчаса.

Люблю зимы твоей жестокой

Недвижный воздух и мороз,

Бег санок вдоль Невы широкой,

Девичьи лица ярче роз,

И блеск, и шум, и говор балов,

А в час пирушки холостой

Шипенье пенистых бокалов

И пунша пламень голубой.

Люблю воинственную живость

Потешных Марсовых полей,

Пехотных ратей и коней

Однообразную красивость,

"Love you, Peter's creation" (from poem "Copper Horseman")

Love you, Peter's creation,
Love your strict, slender look,
Of the Neva sovereign flow,
Coastal her granite,
Of your fence the pattern cast-iron,
Of your pensive nights
Clear dusk, the glitter moonless,
When I in the room of mine
Am writing, am reading without a lampion,
And clear are sleeping masses
Of desert streets, and is light
Admiralty's needle,
And, not letting the darkness night
Upon the golden skies,
One dawn to change another
Is hurrying, having given the night half an hour.
Love of the winter of yours cruel
Immobile air and frost,
Running of the sledge along the Neva wide,
Maiden's faces brighter /than/ roses,
And glitter, and noise, and talk of balls,
And in the hour of a feast bachelor
The sizzling of foamed glasses
And of punch the flame blue.
Love bellicose liveliness
Of amusing /Poteshnykh/ Fields of Mars,
Of infantry hosts and horses
Monotonic beauty,

В их стройно зыблемом строю
Лоскутья сих знамён победных,
Сиянье шапок этих медных,
Насквозь простреленных в бою.
Люблю, военная столица,
Твоей твердыни дым и гром,
Когда полнощная царица
Дарует сына в царской дом,
Или победу над врагом
Россия снова торжествует,
Или, взломав свой синий лед,
Нева к морям его несёт
И, чуя вешни дни, ликует.

Красуйся, град Петров, и стой
Неколебимо как Россия,
Да умирится же с тобой
И побеждённая стихия;
Вражду и плен старинный свой
Пусть волны финские забудут
И тщетной злобою не будут
Тревожить вечный сон Петра!

1833

sॉ1111111111111111111111111

In their slim shakable formation
Patches of this banners victorious,
Shining of hats these copper,
Throughout shot in the battle.
Love, military capital,
Of your stronghold smoke and thunder,
When midnight tsarina
Is gifting a son into the tsar's house,
Or victory over the enemy
Russia again is rejoicing,
Or, having broken its blue ice,
The Neva to the seas him is carrying
And, sensing spring days, is rejoicing.

Show off, the city of Peter's, and stand
Immovably, like Russia,
And will reconcile then with you
And defeated element;
Feud and captivity old of your
Let the waves Finnish forget
And with futile anger will not
Disturb the eternal sleep of Peter!

1833

Не дай мне бог сойти с ума…

Не дай мне бог сойти с ума.
Нет, легче посох и сума;
Нет, легче труд и глад.
Не то, чтоб разумом моим
Я дорожил; не то, чтоб с ним
Расстаться был не рад:

Когда б оставили меня
На воле, как бы резво я
Пустился в тёмный лес!
Я пел бы в пламенном бреду,
Я забывался бы в чаду
Нестройных, чудных грез.

И я б заслушивался волн,
И я глядел бы, счастья полн,
В пустые небеса;
И силен, волен был бы я,
Как вихорь, роющий поля,
Ломающий леса.

Да вот беда: сойди с ума,
И страшен будешь как чума,
Как раз тебя запрут,
Посадят на цепь дурака
И сквозь решётку как зверка
Дразнить тебя придут.

Not let me god go out of mind...

Not let me god go out of mind.
No, easier a staff and a pouch;
No, easier labour and hunger.
Not that so that mind of mine
I valued; not that, so that with him
To part was not glad:

When would leave me
In the freedom, how would friskily I
Set off into the dark wood!
I sing would in flaring delirium,
I become oblivious would in the intoxication
Of disorderly, wonderful dreams.

And I would listen spellbound to the waves
And I gaze would, happiness full of
Upon the empty skies;
And strong, free be would I,
Like a whirl, dropping the fields,
Breaking the woods.

And here is trouble: /you/ go out of mind,
And terrible will be like plague,
Just in time you /they/ will lock,
Will put on a chain the fool
And through the bars like an animal
To tease you will come.

А ночью слышать буду я
Не голос яркий соловья,
Не шум глухой дубров —
А крик товарищей моих,
Да брань смотрителей ночных,
Да визг, да звон оков.

1833 г.

And at night hear will I
Not the voice bright of a nightingale,
Not the noise muffled of oak-woods,
But the shout of comrades of mine,
And the swearing of watchers night,
And squeal, and the clanging of shackles.

1833

Красавица

Все в ней гармония, все диво,
Все выше мира и страстей;
Она покоится стыдливо
В красе торжественной своей;
Она кругом себя взирает:
Ей нет соперниц, нет подруг;
Красавиц наших бледный круг
В её сияньи исчезает.
Куда бы ты ни поспешал,
Хоть на любовное свиданье,
Какое б в сердце ни питал
Ты сокровенное мечтанье, —
Но, встретясь с ней, смущённый, ты
Вдруг остановишься невольно,
Благоговея богомольно
Перед святыней красоты.

1834

A beauty

All in her /is/ harmony, all /is/ marvel,
All is higher /than/ the world and passions;
She is resting bashfully
In beauty solemn of hers;
She around her is gazing:
To her /there/ are no competitresses, no girl-friends;
Of beauties of ours pale circle
In her shining disappears.
Wherever you were not hurrying,
Although to the amorous date,
Whichever would in the heart were nourishing
You inmost dreaming –
But meeting with her, bashful, you
Suddenly will stop unwillingly,
Awing piously
In front of the shrine of the beauty.

1834

Пора, мой друг, пора! покоя сердце просит...

Пора, мой друг, пора! покоя сердце просит —
Летят за днями дни, и каждый час уносит
Частичку бытия, а мы с тобой вдвоём
Предполагаем жить... И глядь — как раз — умрём.
На свете счастья нет, но есть покой и воля.
Давно завидная мечтается мне доля —
Давно, усталый раб, замыслил я побег
В обитель дальнюю трудов и чистых нег.

1834 г.

/It's/ time, my friend, /it's/ time! For repose the heart is asking...

/It's/ time, my friend, /it's/ time! For repose the heart is asking –
Are flying after days days, and every hour is carrying away
A particle of being, and we with you together
Are supposing to live... And look – just in time – will die.
In the world happiness /there/ is no, but /there/ is repose and will.
Long enviable is being dreamt to me lot –
Long, tired slave, have thought out I escape
Into the abode distant of labours and pure blisses.

1834

Я думал, сердце позабыло...

Я думал, сердце позабыло
Способность лёгкую страдать,
Я говорил: тому, что было,
Уж не бывать! уж не бывать!
Прошли восторги, и печали,
И легковерные мечты...
Но вот опять затрепетали
Пред мощной властью красоты.

1835

I thought the heart had forgotten ...

I thought the heart had forgotten
Ability easy to suffer,
I said: that what had been,
Already not to be! Already not to be!
Passed excitements and sorrows
And gullible dreams...
But here again have started fluttering
In front of the mighty authority of beauty.

1835

Пир Петра Первого

Над Невою резво вьются
Флаги пёстрые судов;
Звучно с лодок раздаются
Песни дружные гребцов;
В царском доме пир весёлый;
Речь гостей хмельна, шумна;
И Нева пальбой тяжёлой
Далеко потрясена.

Что пирует царь великий
В Питербурге-городке?
Отчего пальба и клики
И эскадра на реке?
Озарен ли честью новой
Русский штык иль русский флаг?
Побежден ли швед суровый?
Мира ль просит грозный враг?

Иль в отъятый край у шведа
Прибыл Брантов утлый бот,
И пошёл навстречу деда
Всей семьёй наш юный флот,
И воинственные внуки
Стали в строй пред стариком,
И раздался в честь науки
Песен хор и пушек гром?

A feast of Peter the First

Over the Neva swiftly are fluttering
Flags motley of vessels;
Sonorously from boats are sounding
Songs unanimous of rowers;
In tsar's house the feast merry;
The speech of guests is intoxicated, noisy;
And the Neva with firing heavy
Distantly is shaken.

What is feasting tsar great
In Petersburg-town?
Why the firing and the calls
And the squadron on the river?
/Is/ illuminated whether with glory new
Russian bayonet or Russian flag?
Is defeated whether the Swede severe?
Peace whether is asking formidable enemy?

Or into the taken region at the Swede
Has arrived Brandt's frail boat,
And went to the meeting of the grandfather
By all family our young fleet,
And bellicose grandchildren
Stood in a formation in front of the old man,
And sounded in the honour of science
Of songs choir and of cannons thunder?

Годовщину ли Полтавы
Торжествует государь,
День, как жизнь своей державы
Спас от Карла русский царь?
Родила ль Екатерина?
Именинница ль она,
Чудотворца-исполина
Чернобровая жена?

Нет! Он с подданным мирится;
Виноватому вину
Отпуская,веселится;
Кружку пенит с ним одну;
И в чело его целует,
Светел сердцем и лицом;
И прощенье торжествует,
Как победу над врагом.
Оттого-то шум и клики
В Питербурге-городке,
И пальба и гром музыки
И эскадра на реке;

Оттого-то в час весёлый
Чаша царская полна
И Нева пальбой тяжёлой
Далеко потрясена.

1835 г.

Anniversary whether of Poltava
Is rejoicing the sovereign,
Day, how the life of his power
Saved from Karl Russian tsar?
Gave birth whether Ekaterina?
One-whose-name-day whether /is/ she,
Of miracle-monger-titan
Black-eyebrowed wife?

No! He with a subject is reconciling;
To the guilty the guilt
Releasing is having fun;
The mug is frothing with him one;
And into the forehead him is kissing,
Light with the heart and the face;
And forgiveness is rejoicing,
Like a victory over the enemy.
From that-then /is/ noise and calls
In Petersburg-town,
And firing and the thunder of music
And the squadron on the river;

From that-then in the hour merry
The cup tsar's is full
And the Neva with firing heavy
Far is shaken.

1835

Я памятник себе воздвиг нерукотворный...

Exegi monumentum

Я памятник себе воздвиг нерукотворный,
К нему не зарастёт народная тропа,
Вознёсся выше он главою непокорной
Александрийского столпа.

Нет, весь я не умру - душа в заветной лире
Мой прах переживёт и тленья убежит -
И славен буду я, доколь в подлунном мире
Жив будет хоть один пиит.

Слух обо мне пройдёт по всей Руси великой,
И назовёт меня всяк сущий в ней язык,
И гордый внук славян, и финн, и ныне дикой
Тунгус, и друг степей калмык.

И долго буду тем любезен я народу,
Что чувства добрые я лирой пробуждал,
Что в мой жестокий век восславил я Свободу
И милость к падшим призывал.

Веленью божию, о муза, будь послушна,
Обиды не страшась, не требуя венца,
Хвалу и клевету приемли равнодушно
И не оспоривай глупца.

1836

I a monument to myself have erected not-made-by-hand...

Exegi monumentum

I a monument to myself have erected not-made-by-hand,
To him will not overgrow the people's path,
Has risen higher he with the head unruly
Of Alexandrian pillar.

No, all I will not die – the soul in an inmost lyre
My ashes will outlive and smouldering will flee –
And glorious will be I, until in the sublunary world
Alive will be at least one poet.

The rumour about me will go over all Rus great,
And will call me every existing in her tongue,
And proud grandson of the Slavs, and a Finn, and now wild
Tungus, and the friend of steppes Kalmyk.

And long will be by that dear I to the people,
That feelings tender I with the lyre was awakening,
That in my cruel century glorified I Freedom
And mercy to the fallen called.

To the dictate god's, oh, muse, be obedient,
Offence not fearing, not demanding a crown,
Praise and slander accept indifferently
And do not dispute a fool.

1836

Мирская власть

Когда великое свершалось торжество
И в муках на кресте кончалось божество,
Тогда по сторонам животворяща древа
Мария-грешница и пресвятая дева
Стояли, бледные, две слабые жены,
В неизмеримую печаль погружены.
Но у подножия теперь креста честнаго,
Как будто у крыльца правителя градскаго,
Мы зрим поставленных на место жен святых
В ружье и кивере двух грозных часовых.
К чему, скажите мне, хранительная стража? —
Или распятие казённая поклажа,
И вы боитеся воров или мышей? —
Иль мните важности придать царю царей?
Иль покровительством спасаете могучим
Владыку, тернием венчанного колючим,
Христа, предавшего послушно плоть свою
Бичам мучителей, гвоздям и копию?
Иль опасаетесь, чтоб чернь не оскорбила
Того, чья казнь весь род Адамов искупила,
И, чтоб не потеснить гуляющих господ.
Пускать не велено сюда простой народ?

1836 г.

Mundane authority

When great was happening triumph
And in torments upon the cross was being born deity,
Then at the sides of vivifying tree
Maria-sinner and blessed virgin
Were standing, pale, two weak wives,
In immeasurable sorrow submerged.
But at the foot now of the cross honest,
As if at the porch of the ruler of city,
We are seeing put into place wives sacred
In a gun and a shako two formidable sentries.
For what, tell me, safekeeping guard? –
Or crucifix /is/ a government load
And you fear thieves or mice? –
Or imagine importance to attribute to the tsar of tsars?
Or by patronage are saving mighty
The lord, with thorns crowned prickly,
Christ, commending obediently the flesh of his
To the scourges of tormentors, nails and spear?
Or are bewaring so that the mob did not insult
That, whose execution all kin Adam's atoned,
And so that not to press walking masters.
To let is not ordered here common folk?

1836

Зачем я *ею* очаров*а*н...

Зачем я **е**ю очарован?
Зачем расстаться должен с ней?
Когд**а** б я н**е** был избалован
Цыганской жизнию моей

Он**а** глядит на вас так н**е**жно,
Он**а** лепечет так небр**е**жно,
Он**а** так тонко весела,
Е**ё** глаз**а** так полны чувством,
Веч**о**р он**а** с таким искусством
Из-под накр**ы**того стола
Сво**ю** мне ножку подала!

1827-1836 гг.

What for I by her am charmed...

For what I by her am charmed?
For what part must with her?
When would I not have been spoilt
By Gypsy life of mine

She is looking at you so tender,
She is babbling so carelessly,
She is so subtly merry,
Her eyes /are/ so full of feeling,
In the evening she with such skill
From under the set table
Her to me leg gave!

1827-1836

Made in the USA
Middletown, DE
13 October 2023

40734179R10135